A GRANDE ARTE DE SE REINVENTAR

AS 7 HABILIDADES QUE PODEM MUDAR A SUA VIDA

LEO CHAVES

A GRANDE ARTE DE SE REINVENTAR

AS 7 HABILIDADES QUE PODEM MUDAR A SUA VIDA

Planeta

Colaboraram com o autor: Camila da Silva Pereira, Walkyria Maria Madruga Coelho e Cleisler Oliveira Rocha
Preparação: Sandra Espilotro
Revisão: Edison Veiga, Laura Vecchioli e Diego Franco Gonçales
Diagramação: Anna Yue
Capa: Luiz Sanches Junior
Fotografia de capa: Leo Crosara

Dados Internacionais de Catalogação na Publicação (CIP)
Angélica Ilacqua CRB-8/7057

Chaves, Leo
A grande arte de se reinventar / Leo Chaves. – São Paulo: Planeta do Brasil, 2019.
208 p.

ISBN: 978-85-422-1813-8

1. Técnicas de autoajuda 2. Felicidade 3. Mudança 4. Autoconhecimento 5. Sucesso I. Título

19-2176 CDD 158.1

Índices para catálogo sistemático:
1. Técnicas de autoajuda

2019
Todos os direitos desta edição reservados à
EDITORA PLANETA DO BRASIL LTDA.
Rua Bela Cintra, 986 – 4º andar – Consolação
01415-002 – São Paulo-SP
www.planetadelivros.com.br
faleconosco@editoraplaneta.com.br

SUMÁRIO

PREFÁCIO

Da vida como arte
Leandro Karnal

Nuvens e solo, e alguma chuva

Toda arte cruza técnica e talento. O último é muito intuitivo e complexo para delimitar com precisão. Ou se tem ou não se tem. Talento talvez seja inato ou não, todavia é, decididamente, o elemento mais etéreo e o mais evidente. Talvez talento e carisma sejam como oxigênio: invisíveis, porém, sua ausência é notada rapidamente. Arte implica talento, para cantores, para pintores, para poetas e para quem dança. Porém, qual o espaço da técnica?

Eu afirmei que arte cruza talento e técnica. Esta última é mais fácil de ser conceituada. Ela molda a garganta em horas de exercícios vocais para que o som saia perfeito. Ela adestra a mão do pianista em escalas e fortalece os músculos da bailarina em infindáveis posições e alongamentos. Técnica também implica vocabulário e procedimentos. O cineasta aprende como ordenar "demi-plongée" ao câmera; a *chef* de cozinha lê e cumpre a redução em "acetto" balsâmico e a contrabaixista executa "col legno" virando o arco, como ordena a partitura. Técnica é colocar o corpo e o cérebro alinhados para o fluxo da beleza e da sensibilidade.

Seriam dois campos separados e incomunicáveis? É uma concepção ultrapassada. Nenhum talento sobrevive sem técnica. Sendo vocação natural ou não, o impulso artístico precisa dos dedos, da garganta, do paladar ou de qualquer suporte físico treinado para se expressar. O mais retumbante talento morre no corpo despreparado e, do mesmo modo, uma inclinação fraca pode impressionar bastante se todo o aparato prático for muito bem preparado.

Sempre somos imaginativos e as figuras ajudam. De muitas formas, o talento é nuvem elevada e leve e o público é a terra ávida por atingir novas compreensões e sequiosa de vida plena. Se o talento é a nuvem, a técnica é a chuva, que produz a comunicação entre o solo e a genialidade. Sem a chuva, o dom da nuvem úmida nunca chega ao solo. Sem técnica, inexiste talento.

Resta a dúvida plausível: podemos melhorar nosso desempenho no diálogo entre técnica e talento? Além do dom, valeria o esforço? Acima de tudo: um esforço no campo da técnica poderia intensificar nossa felicidade? Vamos pensar mais.

A arte de viver

O talento é pouco controlável, vimos antes. Há pessoas com nítido talento existencial. Nascem com ênfase na alegria, são agradáveis sem afetação, entendem os limites seus e dos outros, trabalham com otimismo e determinação, sabem mudar quando necessário e dominam seu narciso. Vocês, querida leitora e estimado leitor, conhecem, por certo, alguém assim. Uma avó sábia, um pai amoroso, a mãe extraordinária, um amigo especial: se fosse um concurso, teriam o "Oscar" pelo conjunto da obra vital. Não é que sejam perfeitos. São seres humanos que parecem aproveitar a vida com o que ela tem de melhor, minimizam os entraves e melhoram o mundo com sua presença vital. Existe uma explicação clara para estes "gênios" da arte de viver? Pouco provável. Seria uma origem privilegiada? Conheci pobres que mantinham a alegria diante do drama cotidiano da sobrevivência e, da mesma maneira, convivi com milionários depressivos e amargos. Seria fruto de uma biografia sem dores? Entrevistei uma sobrevivente de campo de concentração que sorria com intensidade e amava a vida que tinha escapado por pouco do horror e da barbárie. Adolf Hitler, aliás, paradigma da vida dedicada à violência destrutiva, teve mãe dedicada e afetiva. Existem fatores, claro; podemos identificar variáveis; suponho que nunca teremos condições de criar uma fórmula absoluta sobre o bem viver. De onde vem ou o que suscita o equilíbrio pessoal?

Suspeito que pessoas muito sensuais nunca tenham lido um livro com "dez dicas de sensualidade". Igualmente, tenho para mim que aquela sua avó maravilhosa desconhece a *Carta sobre a felicidade*, de Epicuro, ou que jamais tenha atravessado madrugadas analisando as reflexões de Epicteto sobre a sabedoria. Há uma chance de ela ter aprendido com a vida, a partir de uma disposição naturalmente afável.

A arte de viver não possui fórmula infalível. Felicidade não parece depender de um livro. Gente legal é legal e pronto; gente chata e azeda também não necessitou de bibliografia. Qual o sentido de debater uma vida melhor ou um grau mais intenso de felicidade? Continuemos na busca da clareza.

Estamos entre dois signos poderosos: Deus e a pedra. Um tudo pode; o outro vive na impotência total. O ser humano, acima da pedra e abaixo da nossa concepção de Deus, vive o dilema entre sua vontade e as vicissitudes enormes do mundo. Hamlet pensa nisso no seu famoso monólogo. Como aguentar todo o mar que lança suas vagas contra nossos desejos? Existe chance de melhoria e de ressignificação pessoal? O acaso nos guia como faz com as pedras, rolando, quebrando e empilhando-as sem ordem prévia?

Existem muitas maneiras de responder às questões anteriores. Grande parte da Filosofia ocidental debateu o grau da nossa liberdade e o alcance da nossa existência. Alguns mistérios permanecem trancados em salas secretas. Daqui a pouco você abrirá portas novas, graças às chaves do Leo.

As chaves do Leo

Leo Chaves é um daqueles amigos carismáticos que honra qualquer portfólio social. Sua presença solar afeta o campo gravitacional do ambiente, como já testei algumas vezes. Ele é naturalmente intenso. Talvez nunca tenha treinado. Não o imagino no espelho medindo o sorriso mais eficaz. Nunca supus que Leo decorasse frases para provocar impacto. Leo funciona como uma força da natureza e assim sempre viveu.

Aqui vem parte da magia do texto que você está começando. Grande parte do talento pessoal e artístico do autor é muito pessoal. Seu carisma não implicou adereços cênicos. A nuvem "leo-nina" enfrentou muitas alegrias e alguns reveses importantes. A relação com o mundo real possui nuanças complexas. Carreira de sucesso, filhos lindos: olhando a distância, o cenário é perfeito. O êxito permitiria que ele estivesse internado na sua fazenda em Minas, exercendo o ofício aristocrático do ócio. Ele não o faz. Saiu de novo para o mundo, reorientou a carreira, transformou sua vida e mudou sua biografia. Surge o Leo Chaves palestrante e autor, estudioso de textos complexos de Heidegger, saindo de sua zona de conforto, alcançando novos patamares.

O mérito maior do livro é ter observado o que havia no pensamento de grandes autores e, a partir disso, cruzar com a percepção privilegiada do homem que atravessava este país cantando. Poucos se dão conta de que um espetáculo é um processo de mútua observação: o público e o ídolo se miram detidamente, mesmo rindo e cantando junto, um perscruta o outro. Aprende-se diante e atrás das cortinas. O texto, talvez, tenha nascido de uma longa experiência de estrada artística.

Não se trata apenas de um fluxo de consciência de uma pessoa, porém do diálogo da consciência do autor com muitas e poderosas cabeças. Sartre e Montaigne, Freud e Nietzsche chegam juntos ao palco da análise. O baile começa animado e democrático.

Falamos de nuvens e da terra, de chuvas que comunicam ambas. O tema do livro combina os pilares para sustentar a evaporação (esforço) que estimula a chuva. Também há o modelo de grandes talentos que podem aprimorar nossa técnica. Por fim, tecendo tudo com trama interessante bem urdida, surge Leo e sua grande arte de se reinventar. Os conflitos aprimoram nossa percepção do mundo, ferem nossa cegueira narcísica e retiram certezas e acomodações. Do atrito, pensa Heráclito citado por Leo, surgem pessoas livres ou escravas. O mundo contemporâneo gera muito medo e muita dor, produzindo escravos virtuais e escravos da inércia, repetidores do ressentimento permanente de felicidade de aparência. O texto convida a repensar tudo e ressurgir, reinventar-se, aprimorar a técnica e fluir no talento. Nuvens descem, chuva cai e umidade sobe em novas perspectivas, no inquietante calidoscópio gerado pelo livro. É uma arte e possui beleza interna. Entregue-se à possibilidade do desafio: mudar ou desaparecer. Chova e evapore, umidifique a secura do cotidiano, enfrente seus medos e analise os pilares sobre os quais Leo depositou sua experiência.

Vamos lá! O show vai começar.

INTRODUÇÃO

Estamos hoje na era das crises, dos mais variados tipos e origem. É um tempo de isolamento social, de fragilidade emocional e conflitos, apoiados na flutuação comportamental, onde reina a indecisão. O modo de agir automático da personalidade humana parece ser uma solução instalada. Mas, afinal, o que a humanidade poderá descobrir diante disso? Onde podemos encontrar os porquês e as possíveis consequências desse panorama? Ou será mesmo um aspecto catastrófico sem saída?

O filósofo Friedrich Nietzsche sabiamente afirmou que "a força curadora está no próprio ferimento". De fato, grandes mudanças podem acontecer como resultado de uma boa gestão e reação madura diante das crises, e muitas vezes o próprio amadurecimento é uma consequência visível disso tudo. No entanto, nem sempre as coisas caminham assim. Frequentemente, o ser humano escolhe se retrair diante das crises e se revolta, seguindo numa direção que impede ou retarda o seu crescimento. É muito importante compreender que crises estão inseridas no pacote da existência – e o que vai ser determinante e crucial nesse contexto é a forma como lidamos com elas ou como as encaramos, e não a natureza ou intensidade delas. O ideograma chinês que representa a palavra "crise" é formado pela junção dos vocábulos "perigo" e "oportunidade". Nada mais esclarecedor: a direção para a qual nos encaminhamos em uma crise depende de como a enfrentamos e de qual oportunidade percebemos para revertê-la em nosso favor. No mundo ocidental tende-se a relacionar a crise com perspectivas negativas, contudo, a visão chinesa é a de que os momentos críticos são ápices para grandes decisões. Crises, portanto, são ensejos para transformações.

É você quem determina como se apossar e aproveitar o porquê e o para quê dos acontecimentos. Estes podem gerar novos meios por onde você vai transitar, criando uma oportunidade para a compreensão da vida de modo diferente. O "para quê" de uma depressão pode ser o impulso para a transformação, o revigoramento; ou até mesmo a ajuda, o modelo de saída da situação, ao se compartilhar com outras pessoas a forma como foi superado esse transtorno. Ao seu redor, quantos podem estar passando pelo mesmo obstáculo? Você pode ser apenas mais um de tantos nessa situação, ou pode descobrir como se levantar e caminhar, dividindo essa experiência e influenciando positivamente outras vidas. Se nos aproveitamos de um episódio para resgatar ou reunir habilidades e recursos saudáveis, estaremos indo em direção ao fortalecimento. Por outro lado, ancorando o pensamento na negatividade e no problema, e mergulhando na angústia, a escuridão será inevitável. Saiba que absolutamente nada, nem ninguém, é capaz de colocá-lo no breu, a não ser você mesmo.

Se você deseja que o mundo lhe traga mais oportunidades, mude sua forma de enxergá-lo. Por exemplo, imagine a seguinte situação: dois trabalhadores foram demitidos de uma mesma empresa, no mesmo dia. Um deles, cabisbaixo, logo pensa: "Tenho muitas contas para pagar, o que farei agora? Estou sem chão e a culpa é daquele maldito chefe". O outro, no entanto, diz a si mesmo: "Já que não preciso mais ficar oito horas naquele emprego, estou aberto a novas possibilidades, podendo procurar e receber coisas diferentes em minha vida. E vou utilizar essas horas de folga para me reestruturar". O ângulo pelo qual você enxerga os eventos da sua vida é responsável pelos caminhos que você vai tomar.

Há um raciocínio lógico nesse contexto: quando nos vemos em situações de emergência, ou caímos bruscamente, temos irrevogavelmente que buscar recursos, isto é, o fundo do poço propõe a busca por soluções, mesmo que pareça o fim de tudo. Quando você não tiver mais o que fazer, restará apenas encontrar uma saída, pois na necessidade será exigido o seu máximo. O ser humano descobre o seu poder na adversidade. Nietzsche também afirmou que é a partir do enfrentamento do sofrimento que o homem pode se recriar, se reinventar. Isso significa estar em incessante processo de mutação, e ter a plena consciência de que não somos nada, apenas estamos. Uma prova disso é nossa constante oscilação emocional. Em um dia estamos muito bem-humorados, no outro, extremamente entediados. Em uma ocasião estamos animados e intensos, já em outros momentos nos encontramos indolentes e sem perspectivas. Algumas vezes queremos algo, em seguida já não queremos mais. A natureza humana é inconstante e cíclica. Pense em uma pessoa com quem você convive há anos. Quantas opiniões divergentes você já teve sobre ela? Em momentos de conflito, sua opinião estava ligada a esse episódio. Pouco tempo depois, sua visão mudou totalmente, em especial com pessoas de maior convívio.

Sob o ponto de vista da nossa existência, a partir da linha definidora entre concreto e abstrato, encontram-se nossos sentimentos, nosso lado emocional. Como esse cenário é vulnerável e instável, há sempre curvas em nossas escolhas. E, assim, as decisões para as mesmas questões não serão nada lineares durante nossa jornada.

Até mesmo quando não se escolhe algo, a escolha foi não escolher. E a vida, então, seguirá no movimento de se equilibrar entre escolhas e consequências. O filósofo dinamarquês Søren Kierkegaard (1813-1855) acreditava que todas as escolhas possuem riscos, e ao arriscar-se você poderá perder algo, mas ao não se arriscar, poderá perder sua vida por completo. Quem está aberto a arriscar eleva o índice de Habilidade Revolucionária com maior facilidade. Diante desse raciocínio, quem não busca a constante mutação, se recriando e se repaginando, está na contramão daquilo que determinada a própria existência. Pense um pouco em quantas pessoas ao seu redor estão estagnadas em determinados aspectos da vida e não sabem como ativar o motor da autorrevolução. Nada no universo é definitivo, não há convicções nem certezas, pois o tempo se encarrega de desfazê-las. Se você ainda é o mesmo de dez anos atrás, ainda possui as mesmas certezas, tem exatamente os mesmos hábitos e investe seu tempo nas mesmas coisas, repense se realmente você e sua vida estão em evolução. Mais do que isso, questione se a estagnação o conecta com a felicidade.

Podemos ir adiante, pensando na felicidade. Essa afirmativa pode parecer estranha, mas penso nela como sendo apenas uma frequência ou uma escolha. Ela está no universo, disponível a qualquer momento e em qualquer lugar. Não é minha nem sua nem de ninguém. Porém, é genericamente acessível, em alguns momentos mais próxima, em outros menos. A felicidade não escolhe ninguém, como acreditam os que cultuam as fases emocionais. Para mim, é como se a pegássemos emprestada quando bem entendêssemos, sem, no entanto, ter a obrigação de devolvê-la. E não estamos sendo egoístas. Acredite, há felicidade de sobra e eu afirmo a você, leitor, que é sempre possível acessar essa frequência, se você assim o determinar. Vivi isso em momentos de extrema angústia, originários de questões profissionais, financeiras ou mesmo de problemas familiares – quando, apesar desse estado, eu tinha de me apresentar para motivar o público com palestras ou shows. Eu pensava: *meu papel aqui não pode ser o de conectar as pessoas com frequências negativas. Portanto, agora, eu preciso me revolucionar internamente e imediatamente, pois uma conexão saudável com o público não será possível nesse estado emocional.* Mais à frente vou contar como consegui realizar isso. Dessa mesma forma, a angústia ou a alegria, a euforia ou o desânimo, a empatia ou a antipatia, são simplesmente frequências que existem no todo. É bom não pensarmos que são nossas, pois nós apenas as utilizamos ou não. Em um dia estamos propícios a determinada frequência, em outro dia, não; mas nossa adesão a ela independe do que há à nossa volta – não seremos reféns do exterior se nós assim o determinarmos. Eu posso utilizar a frequência que quiser, como eu quiser e onde eu estiver. Isso é liberdade emocional, é livre-arbítrio, é escolha.

Assisti a um pai brincar sorridente com sua filha, esbanjando alegria, no setor de atendimentos paliativos de um hospital. Ciente de que a menina teria apenas mais três meses de vida, pois o câncer se apoderava daquela criança implacavelmente, ele se jogava com ela em cambalhotas pelo chão, derramando alegria no canto da sala, como se aquele instante fosse o único e o último da existência dela. Naquele momento chocante, mudei minha visão sobre este mundo. O que eu sinto depende exclusivamente de mim. Descobri ali que tenho o poder de administrar sentimentos. A felicidade, por sua vez, não acontece por si só, mas eu posso fazê-la acontecer. Então eu escolho, me apodero, pego emprestada a resiliência diante dos tombos. É pura frequência. Ela está por aí no Universo, à espera de quem quer que seja, sempre. Aquele que não se propõe a utilizá-la poderá se revoltar ou cair na vitimização.

Grandes heróis não são os que escalam os mais altos picos, e sim aqueles que escalam e se levantam dos mais fundos buracos. A direção correta encontrada no labirinto guardará mais glória do que aquela indicada nos mapas. Não pense que quando você vê pessoas sempre com o astral para cima quer dizer que elas não tenham problemas – pode ser até o contrário, mas elas certamente acessam apenas a frequência positiva e se retroalimentam dela.

Queremos ter liberdade sobre tudo, mas raramente procuramos nos liberar das algemas mentais. E é essa liberação que, quando conquistada, nos permite vencer os medos e os limites, possibilitando nossa reconstrução e nos preparando para o novo. A habilidade de conquistar liberdade emocional nos concede revolucionar e promover mudanças efetivas, nutrir nossa consciência, adquirir mais autoestima e mais confiança.

A partir de uma ampla mudança em minha vida, percebi que uma grande reinvenção é capaz de desencadear várias outras, como num processo de ramificação, quando nasce um ramo que promove o aparecimento de vários outros. Com isso, fiquei mais atento às ferramentas que poderiam ser utilizadas para conduzir da melhor forma todas as transformações. Por meio dessa observação, descobri a Habilidade Revolucionária (H.R.), que pode ser traduzida como a habilidade de atingir metas, visando a efetividade na conclusão de mudanças. Todos nós estamos predispostos a começar algo com a intenção de ir até o final. Mas, frequentemente, não conseguimos. Quando adquirimos esse DNA, ele se torna uma constante e atua em todos os aspectos da vida. Somos sonhadores, que constantemente esquecem de semear o terreno com os próprios sonhos e vivem apenas na sombra de árvores alheias.

Muitas vezes meu cérebro era derrotado, porque por mais que eu tivesse comportamentos de largada, não conseguia atingir a chegada, ficava pelo caminho. A Habilidade Revolucionária entra nesse espaço do meio, despertando o senso que existe em cada um de nós, para que possamos olhar de maneira mais ativa e consciente para tudo aquilo que bloqueia a continuidade de nossa caminhada, nos levando a compreender os recursos que podem nos amparar para transpormos as limitações. Ao desenvolver a H.R., o intuito foi – e é – compartilhar com as pessoas algo que impactou positivamente minha vida.

A criação dos pilares da Habilidade Revolucionária vem de mergulhos pessoais em diversas esferas, como a neurolinguística, a neurociência, a inteligência emocional, a inteligência racional e principalmente as filosofias vitalista e existencialista. A filosofia foi fundamental no processo de construção dos pilares; ela nutre a habilidade de gerenciamento dos pensamentos, ampliando a criatividade e o leque de informações que temos para lidar com as situações do dia a dia. Uma vez que você experimenta o universo filosófico, ele não mais o abandona. É entristecedor perceber que ao longo dos anos a filosofia vem sendo excluída de muitos ambientes escolares, tirando a oportunidade dos jovens potencializarem seu *logos*, que para os gregos era entendido como o pensamento que abrange a racionalidade, as emoções e a linguagem, harmonizando e equilibrando o todo. Com a fundamentação trazida por esses conhecimentos, passei a entender e organizar o que eu utilizava nos aspectos da vida, e os pilares foram essenciais para que eu entrasse nos meus porões internos, varresse as poeiras e me revolucionasse profundamente. A partir daí, percebi que, quando, em algumas situações, não pratiquei os pilares da H.R., deixei de atingir muitos objetivos. Entretanto, quando procurei entendê-los profundamente, fui me alinhando a eles e de fato os exerci, alavanquei mudanças vitais. Dessa forma, divido, com você leitor, muitas de minhas fraquezas e de meus monstros interiores, para os quais eu ainda perco várias vezes – sabendo que com tais perdas o prejuízo geralmente vem, mas sempre é possível retomar o caminho. A maioria das poeiras foi se formando ao longo de meus passos, e por isso luto diariamente para eliminá-las, usando as ferramentas da Habilidade Revolucionária e alcançando êxito na grande maioria das situações. Possivelmente descrevi os sete pilares como os mais importantes em minhas transformações porque foram neles que eu mais tropecei na minha caminhada. Ainda hoje tenho quedas bruscas e desafios fortes, ocasionados até mesmo por não conseguir praticar algumas ferramentas desses pilares. Portanto, este livro não possui pontes para que você esteja sempre no topo da escada, mas traz recursos para que você esteja atento e sempre em busca do crescimento, conseguindo subir novamente após os tombos.

Por meio de minhas revoluções internas consegui resgatar relações que estavam extremamente inflamadas, adquiri transformações até mesmo fisicamente, com novos hábitos alimentares e atividades esportivas. Fiz uma viagem intensa na busca do conhecimento e do autoconhecimento, me tornei um leitor assíduo e, por fim, palestrante e escritor. Posso comprovar como é assustadoramente impactante o resultado dessas revoluções em nossa vida. A nascente de todas as mudanças está em você. Mas esteja atento: ninguém que pensa de modo totalmente individualista alcança altos degraus. Praticando a H.R., a consciência sistêmica e a conduta altruística naturalmente se tornarão mais presentes em suas atitudes e serão primordiais para novas revoluções.

Todos nós já possuímos os recursos da Inteligência Revolucionária. O que este livro faz é mostrar de forma organizada e direta os meios de tomarmos consciência dela e acessarmos e praticarmos seus recursos. Com a ampliação da consciência dessas ferramentas, elas podem nos auxiliar a atingir objetivos ou proporcionar que nos desfaçamos de maus hábitos. Mas, ao longo do livro, você descobrirá que é fundamental treinar esses recursos no dia a dia.

Hoje, nossa sociedade parece estar algemada por arquivos da memória, que nos limitam a repetir condutas engessadas. Temos medo de mudar, e quando decidimos pela mudança não concluímos o caminho. Muitas pessoas estão como barcos que funcionam somente no automático – o registro do histórico da nossa memória nos conduz a essa situação. Na minha estrada de mudanças, percebi que, na infância, a idade da curiosidade, não somos treinados para começar e dar seguimento às ações. Nessa fase, trocamos rapidamente de desejos e queremos experimentar tudo, sem concluir nada. Pense em quantas vezes você, ou seu filho, tentou começar a praticar natação ou futebol – e logo as braçadas e as corridas se tornaram pesadas e monótonas. Acontece também quando nossos filhos ganham brinquedos novos – o movimento de largar um por outro sem ao menos curtir intensamente o primeiro é também automático e a desistência foi assim enxergada como o melhor caminho. Esse é um exemplo de como se criou um círculo vicioso de começar e parar diversas atividades, ou descartar várias opções. Se os pais não entenderem que esse momento é crucial para proporcionar aos filhos a criação de uma mentalidade com base na continuidade do que se começou, ou seja, a formação da atitude de chegada, isso irá se refletir lá na frente, nos links da memória. Pais que se revolucionam estimulam os filhos a promoverem transformações positivas em seus links.

Nós sempre influenciamos de alguma forma quem está à nossa volta. O ser humano é um gerador natural de energias e de inspiração. Os avanços da ciência e os estudos do eletromagnetismo no cérebro indicam o poder da influência do pensamento. Porém, poucas vezes nos perguntamos como exercemos essa influência. Proponho a você um exercício de reflexão: se a vida se despedisse de você hoje, qual marca você teria deixado na existência das pessoas? Qual teria sido sua influência no convívio com elas? Como você impactou este mundo? Como você marcou os ambientes que frequentava? Você tem consciência de que o tempo todo você é parte de um sistema, e que suas ações interferem, direta ou indiretamente, em outras pessoas? Pois bem: ninguém, absolutamente ninguém, por mais que queira, está neste mundo por conta do próprio umbigo. Quando você entende que em tempo integral é um influenciador, começa a adquirir naturalmente a consciência sistêmica.

Se a conclusão é de que até este momento você não tem sido, de modo consciente, um agente transformador positivo para os que te cercam, está na hora de começar sua busca para fazer sentido para essas pessoas, construindo um legado que possa realmente ser honroso e que faça a diferença neste mundo. Você só consegue isso se autorrevolucionando constantemente e assumindo o volante da sua vida.

Aproveito agora para provocá-lo com uma questão:

Você é piloto ou copiloto em suas jornadas? Espero que a Habilidade Revolucionária tire-o da poltrona do conforto e faça-o resgatar a capacidade de escrever e conduzir a própria história.

Leo Chaves

Nota do editor:
O que disse o pensador?
Esta seção vai aparecer algumas vezes ao longo do livro e traz frases, versos e comentários de diversos pensadores que inspiraram a construção dos sete pilares da Habilidade Revolucionária.
Você pode aprofundar seus conhecimentos buscando bibliografia a respeito dos autores, ampliando assim seu desenvolvimento pessoal.

A importância da autorreinvenção

Por que se reinventar?

Podemos enxergar a vida como períodos do dia. Nossas manhãs são o período em que nascemos e nos desenvolvemos. Nesse tempo, podemos nos deparar com medos e questionamentos e, se esperarmos que alguém possa respondê-los ou solucioná-los, estaremos apenas postergando nosso desenvolvimento. Ninguém pode ter a visão dos seus problemas melhor do que você mesmo, muito menos solucionar seus medos. Não há como outra pessoa ter acesso às suas experiências vividas, aos seus pontos de vista e ao seu banco de dados da memória com a mesma clareza que você tem. Ninguém pode te dar segurança, além do seu próprio amadurecimento.

As tardes são os momentos em que projetamos e construímos ideais para o nosso desenvolvimento, tais como se fossem sonhos. E muitas vezes é somente nesse instante, quando estamos de frente para tudo o que sonhamos, que pensamos ter encontrado a felicidade. Porém, sonhos realizados possuem prazo de validade. O desejo conquistado ontem muitas vezes já perdeu o encanto hoje, e não nos damos conta disso. Após a compra do carro dos seus sonhos, por

> O que disse o pensador?
> O filósofo alemão Arthur Schopenhauer (1788-1860) afirmou que: "Para os outros, o homem conhece e depois deseja o que conhece; para mim, ele deseja e depois conhece o que deseja".

exemplo, o entusiasmo por essa conquista se dissipa em alguns poucos meses.

Podemos dizer que há uma predisposição à insatisfação. Além disso, também nesse percurso, entre desejos e conquistas entram as interrelações, nas quais constantemente nos defrontamos com quedas bruscas quando as pessoas e o Universo não agem de acordo com o que desejamos e esperamos. Como resposta a esses baques, mergulhamos na escuridão das frustrações. É desse modo que colocamos mais uma vez, de forma inconsciente, nossa satisfação e realização em cima do que os outros nos entregam. Lapidar nosso lado mais obscuro, nossa noite interna, é ter a chance diária de nos redescobrirmos e ter sobre nós mesmos um olhar mais consciente e coerente.

Frequentemente, jogamos o "ser feliz" para quando atingirmos determinada conquista, nos esquecendo de que é no percurso do dia a dia, da entrega, do fazer, que podemos encontrar nossa felicidade. Ser feliz não é chegar no pódio e sentar-se nele o resto da vida de braços cruzados. Nas dificuldades, nos obstáculos, nos desafios e nas angústias, podemos, muitas vezes, encontrar algo mais valioso e transformador do que em qualquer vitória, acredite. Durante minha jornada, muitas vezes eu sonhei com a fama, com o melhor carro e com uma bela mansão, pensando que a partir disso estaria plenamente feliz. Entretanto, nada disso me trouxe tanta realização quanto a busca pelo novo, revolucionando-me constantemente. Acordar, me olhar no espelho e perceber onde eu posso me desafiar hoje é o meu grande motor, a minha alavanca. A busca alimenta o sentido de qualquer sonho. Estar em movimento, buscando algo, é triunfar.

A sociedade não possui o poder intrínseco de validar nossa felicidade, nosso bem-estar ou nossos sentimentos. Temos a tendência de colocar nossos sonhos muito distantes de nós. Mas é importante entender que as revoluções partem sempre de dentro para fora, e não o contrário. Somos o mestre de obras de quem queremos ser. E você, qual é o seu ponto de referência para agir? O dedo dos outros apontado para você ou as redes sociais que o definem e dizem o que fazer? Você coloca nesse vácuo até mesmo seu próprio objetivo? A inteligência de transformar tudo à sua volta e de influenciar positivamente as pessoas a partir do seu pensamento e da sua visão é a concretização da Habilidade Revolucionária.

Com a metáfora da vida como um dia, podemos compreender que renascemos diariamente, prontos para nos reconstruir, tijolo a tijolo. Ainda que com medo, siga em frente, dê o primeiro passo para a obra. Não há mentores que darão respostas prontas. Você é seu construtor, porque suas raízes são aquilo que o manterão firme em seus propósitos e em sua essência.

Todo comportamento nasce de uma forma de pensamento. Portanto, trabalhar seu racional e sua criatividade, originando novos modos de pensar, é também uma maneira de se revolucionar e de mudar suas atitudes. A observação e a reflexão são os primeiros passos para modificar suas condutas. A partir delas, você pode identificar aquilo que o bloqueia e o faz estacionar.

Existem três razões principais que impedem a reinvenção: a não aceitação de si – em que você perde para seu ego e não admite suas responsabilidades; a aceitação passiva – em que você se coloca como vítima de todas as circunstâncias; e a dependência emocional – em que você se condiciona a repetir os mesmos atos de autossabotagem.

Quando estamos em uma fase boa na vida, geralmente queremos ancorar. É como se chegássemos a uma ilha e ali pudéssemos atracar nosso barco. Entretanto, tudo se mantém em movimento, mesmo que nós estejamos parados. Nesse contexto, algum tempo depois o barco já terá se afastado. Progredir não permite estagnação. A vida segue independentemente de qualquer coisa, você pode impulsioná-la na direção que deseja ou pode segui-la, mas ficar parado vai fazer com que você, uma hora ou outra, caia e se afunde. Reflita se em seu âmbito profissional você chegou a um cargo no qual se ancorou por acreditar que esse era o lugar que deveria ter alcançado. Talvez você não tenha percebido, mas há data de vencimento para essa posição.

O que disse o pensador?
Na canção "Velha roupa colorida", o cantor e compositor Belchior (1946-2017) afirma:
"No presente, a mente, o corpo é diferente
E o passado é uma roupa que não nos serve mais".

Na geometria do mundo ocidental, o progresso é representado por uma linha reta, em que saímos de um ponto e a única forma de evoluirmos é atingir a extremidade oposta, onde finda o desenvolvimento. Ao passo que, no mundo oriental, a representação do progresso é um círculo. Ou seja, a forma circular propõe movimento constante, em que você poderá passar várias vezes pelo mesmo ponto, porém nunca passará da mesma forma. Colocar-se em reinvenção constante é captar essa máxima e praticá-la, construindo de forma ascendente sua existência e seu posicionamento frente aos acontecimentos.

Quantas paixões rasas tomam o lugar dos nossos sonhos? E quantos desejos momentâneos ocupam o lugar dos nossos propósitos? Se nos apaixonarmos por mudanças com evolução e crescimento, ganharemos mais sentido na jornada. Apaixone-se pela busca da reinvenção e pela sua melhor versão, a ser renovada todos os dias. É necessário treinar também o fato de encarar e abraçar os desafios, obstáculos e problemas, para que, ao estar diante deles, você não pare a jornada e se engrandeça. Difícil pensar assim, não é? Mas essa mentalidade constrói um motor propulsor interno potente, com combustível contínuo para seguir em qualquer situação. Agir dessa forma vai estimulá-lo e impulsioná-lo. Tenha certeza que esse tipo de comportamento, de buscar mudanças visando as revoluções internas, o levará ao objetivo desejado entregando-lhe todo dia uma pitada a mais de realização.

As escolhas de mudanças são democráticas e individuais, pois estão ligadas à perspectiva e ao momento vivido por cada um. Diante da Habilidade Revolucionária não cabe uma proposta de mudança coletiva, porque cada um de nós precisa primeiramente produzir uma metamorfose em si mesmo.

São características de quem tem comportamento revolucionário: alta resiliência, resistência, alteridade, persistência, disciplina e habilidade de ser neutro. Além disso, essas pessoas desenvolvem a habilidade camaleônica, isto é, habilidade de se adaptar, sendo capazes de se solucionar com maior facilidade de situações conflitantes ou de tensão. A elevação do índice de Habilidade Revolucionária cria o senso de urgência em seguir com seus propósitos, ainda que diante do caos. Em minha jornada pessoal, aprendi que abraçar o esforço diário é adquirir cada vez mais combustível para reforçar a resistência e a resiliência.

Os sete pilares da Habilidade Revolucionária

Para começarmos esta intensa viagem em que você será o condutor na sua estrada, vamos juntos desvendar os sete pilares fundamentais que vão lhe dar suporte para que você possa se conhecer, treinar, construir revoluções – internas e externas – e, a partir daí, fortalecer sua marca, podendo se tornar um agente transformador na sociedade por meio da Habilidade Revolucionária.

PRIMEIRO PILAR – PERCEPÇÃO

Podemos dizer que a percepção é a capacidade de identificar de forma competente a leitura de si mesmo e do que está à sua volta. É importante saber que o tempo todo você tem oportunidades de treinar essa ação, nas mais inusitadas situações do dia a dia. A habilidade perceptiva potencializa sua caminhada em vários aspectos. A partir dela, será possível adquirir o hábito de gerir seus pensamentos, que é um passo importante nas relações que você constrói com o Universo, consigo e com as pessoas que estão a seu redor. Já vimos que não são os eventos externos que determinam sua direção, mas é sua habilidade perceptiva e a condução de seus pensamentos que irão orientá-lo. A autopercepção leva ao autoconhecimento.

Sob a ótica comportamental, existem dois tipos de mentes. As mentes progressivas, que são aquelas que trabalham com atitude, seja ela vitoriosa ou não, e as mentes regressivas, que acreditam que nada pode ser mudado e, mesmo estando em poços dos quais podem sair, continuam no mesmo lugar. Quem age de maneira regressiva coloca-se para baixo e crê que faltam-lhe habilidades para crescer. O processo repetitivo dessa conduta joga o indivíduo na poltrona do conforto.

O primeiro passo para a reinvenção é você começar a se identificar e se compreender no dia a dia. Grande parte das pessoas está propensa a viver de forma inconsciente, sem a mínima diligência em relação às atitudes tomadas, acreditando que possui o controle.

Vivemos no externo, cumprindo convenções sociais, e poucas vezes refletimos sobre as pequenas decisões diárias. A falta de reflexão nos leva a automatizar nosso comportamento, e nossa capacidade de percepção interna se torna deficiente. A percepção é um pilar que propõe que você observe seu funcionamento interno, de forma contínua. Quero começar te provocando com uma reflexão. Respire fundo, esvazie sua mente e responda: "Você se conhece profundamente, em todos os módulos que regem sua vida, ou apenas vive na parte superficial do seu ser? Me refiro aqui em especial a sentimentos, emoções, personalidade, reações e comportamentos. Suas emoções são como sinais de trânsito em sua jornada. Elas são alertas sobre os perigos e os desvios que podem ocorrer. Por isso é fundamental perceber, identificar e entendê-las. Se você não ficar atento a esses sinais de trânsito em sua caminhada, estará propenso a colidir.

A percepção precisa estar ativa também nas relações interpessoais, além dos eventos ao seu redor. Muitas vezes, comportamentos, atitudes e acontecimentos passam despercebidos, e isso impede que você tenha acesso a novas reflexões e novos ângulos de pensamento. Quando você eleva sua capacidade de perceber e observar, treinando sua mente para isso, as intuições e grandes ideias se tornam mais frequentes e você passa a ter um leque maior de possibilidades de desenvolvimento. É importante entender que a percepção externa deve estar dissociada de julgamentos e conclusões, restringindo-se apenas à reflexão e à observação.

Quantas vezes você faz algo de que se arrepende em seguida? Por que você fez? Quantas vezes você planeja começar a fazer alguma atividade que simplesmente nunca acontece? O que o bloqueia? Esse exercício de questionamentos é importante para que você consiga ampliar a visão sobre sua vida. Contudo, essa ampliação não significa colocar todas as esferas sociais sob uma perspectiva generalista. A divisão dos setores da sua vida é fundamental para que você perceba suas ações em cada um deles. Proponho que você faça um exercício para aumentar a percepção: comece a anotar todas as reações negativas das quais você quer se desfazer. Em seguida, tente encontrar quais emoções e sentimentos estão por trás dessas reações e reflita sobre eles diversas vezes ao dia. Esse exercício vai conduzi-lo a um maior autoconhecimento, que trará respostas para suas atitudes e comportamentos indesejáveis. Com isso, você poderá se desvencilhar do que não quer mais. Fique atento aos momentos em que você sentir medo ou incômodo durante o exercício e lembre-se: o ser humano tende a não conseguir olhar para o seu espelho interno.

É importante saber que esse é um exercício individual, que vai se encaixar com aquilo que é fundamental para você.

Durante muitos meses fiz uso diário dessa prática e consegui com ela perceber e localizar inúmeras relações, tanto no âmbito profissional como no pessoal, que estavam intensamente inflamadas. Obtive também ótimos resultados com relação a maus hábitos e reações ruins que há muito queria eliminar e não sabia como. Confesso que foi doloroso ficar na inércia automática de comportamentos e atitudes indesejáveis sem saber como lidar com eles durante anos, até conseguir identificá-los e encontrar a solução. Você só domina aquilo que percebe, identifica e conhece.

A coruja, que é o símbolo da Habilidade Revolucionária, também representa a prática da percepção, porque ela enxerga em 360 graus, abrangendo todos os ângulos e não deixando escapar nada, graças à sua alta capacidade de observação. A coruja também é associada ao que é – ou está – oculto. Adotar o olhar da coruja faz com que você consiga se perceber espiritualmente, na saúde, nos relacionamentos, no âmbito profissional, na comunicação, no aspecto emocional e no autocontrole diante daquilo que acontece no seu dia. Observar criticamente sua conduta em cada setor da vida vai lhe proporcionar ferramentas para a obtenção de equilíbrio ao conduzir as mudanças internas. E você vai poder compreender de que forma elas têm impactado cada esfera de sua existência. Revolucionar-se é construir transformações efetivas, até mesmo, se assim preferir, radicais – que emergem de dentro do seu ser e se expandem para todos os campos da vida.

Nesses momentos de disrupturas, distinguir pontos obscuros em nossas ações – na maioria das vezes encobertos por comportamentos automáticos que estão ligados à adaptação passiva – é como ter a habilidade de visão noturna. Temos a tendência de colocar embaixo do tapete os assuntos ou os problemas que não conseguimos resolver, e acreditamos que aquela poeira não irá mais nos infectar. Aceitamos que, pelo fato de estarem escondidos das outras pessoas, os impasses estão solucionados. Entretanto, o tapete continua sob nossos pés, muitas vezes sendo um obstáculo ao caminhar.

Aquilo que gera conflito dentro de nós é um convite para nos conhecermos mais.

> O que disse o pensador?
> O filósofo pré-socrático Heráclito de Éfeso nos deixou a frase: "O conflito é o pai de todas as coisas: de alguns faz homens; de alguns, escravos; de alguns, homens livres".

Pare para pensar em quantos momentos conflitantes o trouxeram até aqui. Muitos conflitos se tornam até mesmo marcas importantes e impulsionadoras da sua história; abrace-os e entenda-os melhor para expandir sua consciência. Encaramos os conflitos internos como problemas que têm de ser evitados, porém eles podem ser usados para que possamos crescer e encontrar saídas para aquilo que nos aprisiona no escuro. Temos a tendência de fugir do difícil, do que nos provoca, muito influenciados pelo medo que vem do instinto natural de preservação e sobrevivência. Sempre que algo nos põe em oposição e exige energia, nosso organismo, instintivamente, nos apresenta um escudo que impede o combate aos desafios. Os êxitos, que nos colocam diante dos holofotes, são importantes para nos reconhecermos, mas é necessário visitar nossas escuridões mais íntimas, pois é justamente por meio delas que nos percebemos mais profundamente. Acender a luz interior, mediante o compromisso com o desenvolvimento da percepção, é a base para se modificar interiormente. Eu, em alguns momentos, me perguntei por que esse ou aquele tom de voz de algumas pessoas da minha convivência me causavam tanto incômodo, ou por que algumas atitudes, comportamentos e reações me tiravam do controle. O motivo pelo qual eu não solucionava essa questão era por insistir em entender os porquês de essas pessoas agirem assim. Quando eu transferi o foco para o meu interior – perguntando "o que dentro de mim me tira do sério?" –, solucionei os problemas.

A fuga dos conflitos normalmente surge no ambiente familiar. Pais e filhos tentam compensar ausências criando uma atmosfera positiva, quando, na verdade, o que pode aproximá-los mais é a confidencialidade, a expressão de suas dificuldades e medos. São infernos familiares apresentados como paraísos ilusórios. Somos próximos de quem é nosso confidente – e estes, geralmente, são nossos melhores amigos. Poucas vezes refletimos sobre termos essa confidencialidade com nossos pais, filhos e cônjuges. Com nossa família, temos uma relação superficial de positividade. Com frequência, os pais não usam os erros dos filhos como aprendizado, mas como castigo, gerando a barreira da culpa e limitando a capacidade de tentar novamente. Essa situação traduz uma total ausência de percepção de ambas as partes. É benéfico que eduquemos nossos filhos partindo do princípio de que eles possuem dificuldades que muitas vezes estão debaixo do tapete. Evitar atalhos é fundamental para construirmos o relacionamento com nossa prole – educar requer tempo. Pais que utilizam atalhos nos diálogos com os filhos não dispõem de consciência sobre o valor que eles têm em suas vidas. É fundamental perceber a poeira e limpá-la, sem jogar para baixo do tapete.

A percepção também está em visualizar aquilo que priorizamos em nosso dia a dia. A prioridade não está ligada à quantidade de tempo dedicado a algo, ou alguém, mas sim a colocar-se efetivamente por inteiro naquele momento, dando mais qualidade ao tempo aplicado. Repetimos comportamentos dos quais não nos orgulhamos porque não refletimos sobre o que está por trás de nossas ações, tampouco sobre a sequência de pensamentos que nos levam a replicar padrões em que não nos colocamos por completo no que tem de ser priorizado. A autopercepção dos pensamentos que embalam nossas emoções é tão importante quanto respirar; treine diariamente essa ação de se conectar com seus pensamentos e percebê-los.

A saúde, física e psíquica, é um dos campos alicerces a serem priorizados. Entretanto, grande parte da sociedade está limitada dentro de um círculo vicioso de atividades que fazem mal e, pior, sabem que fazem mal. Muitas pessoas apontam para si mesmas práticas que as prejudicam, mas não procuram as raízes, pelo contrário, buscam formas de justificá-las. Essas desculpas nos envelopam no mesmo lugar, em um cárcere sem grades. Perceber os argumentos que contornam comportamentos prejudiciais fortalece a continuidade dessas condutas. Assumir a responsabilidade dos processos é essencial para que você adentre seus escombros e comece a fazer a faxina.

Muitas pessoas usam os fatos cotidianos como argumentos para deixar de fazer aquilo que é necessário priorizar. No entanto, não são os fatos que condicionam nossas ações, é o significado e a importância que atribuímos a cada episódio que pode nos dar oportunidade de tomar decisões que nos levam a um problema, ou a uma solução. A realidade sobre um acontecimento é criada pela nossa mente e pelo nosso ponto de vista. Nossos pensamentos são geradores naturais de energia, positiva ou negativa, e essa energia se relaciona com nossas emoções. Ao nos rotularmos a partir de nossos defeitos e repetirmos mentalmente atitudes ruins, estaremos engrandecendo energias negativas, que afetam a saúde de nosso corpo e mente.

Quando, por exemplo, temos medo de algo, é essencial investigar quais pensamentos nos levam a criar esse sentimento em determinada ocasião. Medos podem ser associados a traumas passados ou eventos recentes que nos fazem alimentar monstros internos. O mesmo processo ocorre com a ansiedade. Não somos ansiosos ao nascer, desenvolvemos a ansiedade a partir de uma sequência de pensamentos que motivam tal característica. Administrar de forma ativa nossos pensamentos nos dá aptidão para identificarmos as vertentes desses impulsos emocionais. É impossível atingirmos 100% dessa administração, porém, é possível buscar ser melhor 100% do tempo. Em algumas situações, quando estou no meio de uma palestra, as pessoas parecem me olhar e julgar: "Esse cara acerta 100%, deve ser perfeito em tudo o que faz". Todos nós acordamos e levantamos para tentar acertar mais do que errar, mas as derrapagens estarão sempre no meio do caminho. Eu costumeiramente compartilho com a plateia o fato de estar longe da perfeição, mas sempre perto da busca por ela. Treinar a percepção é assumir o volante diante de imprevistos, como curvas perigosas e derrapagens, e ainda assim manter o controle.

As pessoas que convivem com você são aquelas que mais usam das suas fraquezas para tentar atingi-lo, por conhecerem suas reações e seu histórico relacionados a episódios que se repetem. Aquelas com quem se tem um tempo longo de convivência parecem decepcioná-lo mais facilmente.

> O que disse o pensador?
> O imperador romano Marco Aurélio (121 d.C.-180 d.C.) recomendaria que você não supervalorize aquilo que os outros podem lhe tirar.

Não aposte alto em suas expectativas com relação às pessoas, pois as respostas delas podem ser contrárias às suas fichas. Você vive apontando para alguém com quem convive, reclamando do comportamento dessa pessoa? Você espera que ela seja diferente? Se as respostas forem "sim", você terá a frustração como companhia frequente. Sêneca, que era tutor de Nero desde a infância, acreditava que não devemos esperar nada dos outros, e por isso jamais esperou que o imperador mudasse de ideia sobre queimar Roma. Sêneca não se decepcionou.

Ter independência emocional permite que você evite embates desgastantes e desnecessários. É importante termos a consciência de que, frequentemente, quando somos nós que apontamos e julgamos o outro, é porque vemos nele um reflexo daquilo que é nosso também e que nos incomoda – mesmo que não consigamos assumir isso – ou porque enxergamos naquela pessoa alguma qualidade que nos falta. Quem se preocupa e coloca foco em julgar os outros não terá tempo para se perceber. A interiorização acontece quando você vira a lanterna para si. Um exercício interessante para identificar suas dependências e independências emocionais é procurar perceber no dia a dia se você age ou reage sempre de acordo com o que vem das pessoas. Frases como: "Mas ela sempre fala isso, mas ele sempre reage da mesma forma, mas ela se comporta assim sempre" contextualizam a dependência. A sua independência nas relações requer percepção e autocontrole.

Na infância, durante o aprendizado, poucas vezes somos estimulados a tomar decisões, por menores que sejam. À medida que crescemos, é exigida de nós uma ampla capacidade de decidir sobre questões essenciais para a vida. Essa forma de educar os filhos pode estar associada a um modelo que foi imposto aos nossos pais, ou a um ponto de vista que entende como conveniente não encorajar desde cedo que os filhos sejam responsáveis por suas escolhas. É comum os filhos escutarem dos pais: "Mas isso não é assunto para você, não diz respeito a você, não é para a sua idade". Pare para refletir se nos dias atuais, com as

> O que disse o pensador?
> O médico e escritor indiano Deepak Chopra (1946-) entende que: "Longe de ser assustador, abraçar a sombra nos concede uma plenitude, permite que sejamos reais, reassumindo nosso poder". Ou seja, todos nós temos um lado obscuro, uma sombra, que muita vezes encobre nosso lado mais saudável, ou vice-versa. Para Chopra, é a dualidade do ser que nos torna completos. Mas cabe a nós decidirmos qual dos lados será predominante em nossa vida.

redes sociais e a tecnologia digital, alguém conseguirá esconder algo dos filhos. Assim, o que costumo fazer nessas horas é não excluir os meus, e sim acompanhar, dialogar e orientar, pois tenho consciência de que a exclusão gera curiosidade. E, na minha ausência, certamente eles terão acesso ao que poderia ser proibido, e é nesse momento, sem terem passado por orientação, que vem o risco. Os efeitos que esse processo de não decisão vai acarretar no futuro dos filhos terão como resultado adultos que agem sem refletir e que culpam os outros quando seus atos trazem resultados desfavoráveis. Há sempre quem tenha uma justificativa para aquilo que não consegue fazer. E, geralmente, essas pessoas não são capazes de assumir as responsabilidades como suas, porque não possuem plena consciência de que suas decisões e escolhas estão relacionadas apenas a eles mesmos. Perceber atentamente o sentimento dos filhos ao terem acesso a conteúdos delicados é fundamental, pois a forma como eles lidarão com isso no futuro vai partir daí.

Conhecer-se é quebrar o gesso das etiquetas que nos caracterizam quando temos uma visão superficial de quem somos. Muito do que achamos ser parte da nossa personalidade é, na verdade, o conjunto de costumes internalizados por meio da educação que nos foi dada, da religião com a qual nos identificamos e da influência emanada por quem convive e/ou conviveu conosco no decorrer de nossa formação.

O que disse o pensador?
O filósofo Jean-Paul Sartre (1905-1980) já nos dizia: "A existência precede a essência", ou seja, primeiro nós descobrimos o mundo e existimos nele, para depois formarmos nossa essência.

Primeiro, nós descobrimos o mundo e existimos nele para depois formarmos nossa essência. Assim, todo hábito pode ser mudado para que você se transforme em quem realmente deseja ser. Porém, vivemos em uma sociedade de atores, em que nossos comportamentos são determinados, muitas vezes, pela busca de aprovação social. Apresentamos, diante dos outros, condutas que bloqueiam nossa espontaneidade porque temos medo da rejeição, e isso nos envelopa em personagens e máscaras. A expectativa de agradar as pessoas faz com que o cérebro se limite para se encaixar a padrões sociais, reprimindo nossa liberdade de expressão. Muitas pessoas se dizem tímidas para se refugiar da não aceitação do próprio medo perante a possibilidade de terem condutas reprovadas pela sociedade. Por outro lado, há quem realmente desenvolva a timidez e amordace sua essência. Se você está sentado nessa cadeira, levante-se e busque a liberdade. A coragem frente à rejeição torna-o autêntico.

Na psicologia atual, a timidez não é mais vista como uma característica pessoal, mas sim como um subterfúgio social. Identificar contextos e pensamentos que produzem essa timidez é o primeiro passo para desvincular-se dos rótulos, internos e externos. Perceba, diariamente, situações que o incomodam e o fazem retrair-se, seja porque o irritam, porque lhe causam angústia, porque o desmotivam ou ainda porque o entristecem; questione-se sobre quais pensamentos lhe trouxeram esses sentimentos e verifique como tem sido sua ação diante dessas emoções.

> O que disse o pensador? O filme *Trem noturno para Lisboa* (2013), do diretor Bille August, nos provoca a reflexão: "Se podemos viver apenas uma pequena parte do que há dentro de nós, o que acontece com o resto?".

A autopercepção é o caminho que nos conduz para a compreensão sobre os porquês de nossos comportamentos automatizados e nos propicia ferramentas para assumirmos o protagonismo de nossa jornada. A Habilidade Revolucionária exercita a busca pelo desenvolvimento comportamental positivo. Quando iniciamos o processo de autopercepção, começamos a distinguir aquilo que podemos eliminar, como pensamentos limitadores, vícios e sentimentos destruidores, e entender o que é imprescindível incluir em nosso cardápio diário para atingirmos nossos objetivos. Esse pilar é um treinamento constante de consciência sobre os gatilhos e arquivos mentais que geram nossas emoções e atitudes. A autopercepção é também o desenvolvimento da capacidade de observar-se de fora, com lucidez.

Maturidade nas relações

Quando se fala em viver e conviver, as relações são o grande alicerce, sejam elas inter ou intrapessoais, ou mesmo com o Universo. No entanto, esse é um ponto de conflitos naturais, em que normalmente o ser humano encontra suas maiores angústias e desafios, em qualquer que seja a idade. Relacionar-se está longe de ser simples, e a maturidade é algo muitas vezes inalcançável nas relações. Há que se entender também que nesse terreno não existe meio-termo; ou uma relação o joga para baixo ou para cima. A percepção é essencial e fundamental quando falamos em relações. Por exemplo, num casamento não só é importante ter autopercepção em momentos de conflito, entendendo os porquês das suas reações, como também é fundamental lembrar que há duas consciências, uma diante da outra.

> O que disse o pensador?
> Este conceito foi apresentado por Sartre, e para ele: "O outro pode existir para nós sob duas formas: se o experimento com evidência, deixo de conhecê-lo; se o conheço reflexivamente, não atinjo senão seu ser-objeto".

Podemos conhecer tudo, menos a consciência do outro. Sartre nos define como seres "para si", que sabem que existem no mundo, mas são incompletos, pois estão sempre em mudança. Nesse caso, quando partimos de uma relação entre duas consciências, existem várias configurações possíveis. A mudança, com intenção de resolver impasses, pode partir apenas de uma das pessoas, sendo que o outro indivíduo permanece sem perceber os problemas, o que pode levar a intensificação dos conflitos. De maneira diferente, quando duas consciências estão dispostas à mudança, a reestruturação do relacionamento é efetiva. Ainda assim, a autopercepção é essencial para que você possa identificar se a pessoa com a qual se relaciona é uma ponte que o ajuda a atingir a felicidade em sua vida amorosa.

Perceba ainda quais pontes podem auxiliá-lo durante sua jornada nos demais aspectos da vida. Toda companhia é uma ponte. Faça o exercício de pensar em pessoas que estiveram em sua vida e, mesmo não tendo deixado marcas tão saudáveis, serviram-lhe de exemplo, embora seja um exemplo a não seguir. Faço aqui um parênteses para que você entenda que aqueles que lhe causam incômodos podem impactar sua vida tanto quanto aqueles que lhe servem de inspiração. Portanto, é importante perceber e valorar o quanto é impactante uma relação, mesmo que não seja das mais desejáveis em sua vida. Muitas vezes na minha jornada, passei por conflitos traumáticos – até mesmo com terceiros –, e naqueles momentos eu estive em profundo inferno emocional e possivelmente guardei mágoas por um tempo em alguns casos. O tempo é surpreendente e revigorante nesse aspecto, pois hoje olho para trás e vejo quanto os conflitos foram importantes para mim, deixando experiências e ensinamentos que uso nos dias atuais. Ressalto a importância de não carregarmos sombras de mágoas e ressentimentos advindas de convicções criadas por nós mesmos nos conflitos.

Qualquer ponte pode levá-lo a algum lugar, mesmo a que estiver com mais buracos, com a pintura desgastada ou aquela que está quase caindo. Exercite a relação com as pessoas, criando, com aquelas diferentes de você, oportunidades inusitadas. Lembre-se que você pode conviver muito bem com quem não concorda, desde que tenha respeito pela pessoa em questão. Muitas vezes estamos psicologicamente armados, como reação às expectativas com determinada pessoa, especialmente se for alguém mais próximo. Pare e pense, quem é que mais provoca a sua expectativa: as pessoas mais próximas ou as mais distantes? Você consegue entender o motivo? Seja mais perceptivo e procure não julgar e não exercer preconceito contra elas. Quando um aspecto alheio o desagradar, de forma que você rotule alguém a partir disso, encontre algo bom que possa valorizar naquela pessoa. Agir rotulando a todos nos faz ser carrascos uns dos outros. Se você souber como caminhar, possivelmente alcançará a outra margem do rio sem machucados e sem danificar a ponte. Assim, o rótulo e a expectativa caminham juntos e são os dois grandes vilões nas relações. Faça um exercício: pense em uma pessoa com quem você convive há muitos anos, descreva e identifique quais rótulos atribuídos a essa pessoa você consegue acessar. Veja se eles, em algum momento, criam expectativas e te fazem esperar algo dela e, caso entenda que deseja solucionar e introduzir o diálogo relacionado a essas identificações, vá em frente! Então, você vai conseguir se aproximar e ganhar a confiança dessa pessoa, e isso pode te ajudar.

Gerar *network* é considerado hoje fundamental em qualquer tipo de negócio. Sem conduta empática isso se torna impossível, porque a tendência é fechar as janelas para as pessoas, rotulando e excluindo-as. A imagem real sobre alguém é algo privado, somente a própria pessoa conhece. Sendo assim, lembre-se que qualquer imagem que nós atribuímos a outrem é construída, é uma projeção.

Treine sua conduta empática, mas perceba que isso não é comprar para si o que não lhe pertence, tal como os problemas, as falhas, as confusões e as preocupações presentes em cada uma das inúmeras pontes à sua volta. Comprar as complicações de outras pessoas, assumindo-as em sua vida, pode fazer com que sua saúde psíquica e emocional sofra consequências desastrosas. Durante minha infância e adolescência, eu muitas vezes comprava insultos e ironias praticados por outros. Nessas ocasiões, ia para casa com essa compra e ficava por muito tempo mastigando os juros pesados dela, que acabavam por me fazer mal. O que ocorre com frequência aqui é a iniciativa desnecessária da competição – como eu já me desgastei e sofri com isso! Hoje, procuro neutralizar aquilo que não me pertence. Perceba e compreenda: você pode apoiar, estender a mão e colaborar com todos, entretanto, seu papel é o de coadjuvante na vida alheia. Podemos ser atores principais, com dores, sofrimentos, alegrias e vitórias, apenas em nossas próprias vidas.

Uma das ferramentas preciosas para relações bem-sucedidas é o diálogo. Conversar sobre conflitos, angústias e atitudes que não o agradam pode diluir links malignos da memória, atados a situações que causaram esses desconfortos. Manter constante o diálogo saudável pode ainda evitar que alguns novos links prejudiciais sejam criados. Por isso, esteja disposto a perguntar às pessoas com quem você tem alguma relação: "Eu o magoei de alguma forma?", "Eu tenho feito algo que tem incomodado você?", "Você quer dividir comigo alguma aflição que eu lhe causei?".

São características da maturidade emocional saber se colocar no lugar do outro, ter a compaixão como base nas relações e empenhar-se para enxergar as pessoas com os olhos delas, não com os seus. Esses atributos fazem com que você tenha mais compreensão, respeito, saiba como gerenciar os instintos ciumentos e invejosos e tenha mais facilidade em praticar o perdão.

Dependências emocionais

Nós possuímos um motor capaz de nos direcionar para a frequência que desejamos. Esse motor faz com que não sejamos reféns do externo. Quando ele não está ativo, ficamos mais propensos a criar dependências emocionais. Perceba: as pessoas que possuem algum tipo de dependência são emocionalmente oscilantes. Dissociar sua emoção dos acontecimentos externos confere liberdade. O filme *A vida é bela* (1999), dirigido por Roberto Benigni, é um grande exemplo dessa dissociação. Na obra, o judeu Guido e seu filho Giosuè são levados para um campo de concentração nazista, durante a Segunda Guerra Mundial na Itália. No entanto, mesmo com todos os assombros e crueldades que os cercam, Guido cria uma atmosfera que faz com que seu filho acredite que eles estão apenas participando de uma brincadeira. Ainda que no caos, o pai vestiu sua emoção e a de Giosuè com o bem-estar.

Podemos ser dependentes em diversos âmbitos. Se for no campo profissional, trabalhamos com o medo de perder o emprego, deixando de ter a atitude inerente ao dono. Essa atitude está ligada a propor melhorias e buscar os resultados acima das metas; no entanto, a dependência gera um bloqueio que nos faz trabalhar apenas pelo mínimo, e não para progredir. Há também a dependência no sentido oposto, em que o trabalho se torna uma obsessão que pode levar o profissional a sacrificar relacionamentos e o próprio bem-estar.

Já a dependência da aparência pode levar a distúrbios alimentares, excesso de atividades físicas e de procedimentos de beleza. A vaidade estética, quando limitada e controlada, não é prejudicial – ao contrário, é bom se sentir bonito e saudável. Muitas vezes podemos estar sendo hipócritas quando proclamamos:

"Não estou nem aí para o espelho! Não ligo pra isso" – já que essa pode ser uma forma de autossabotagem, porque possivelmente nessa situação não conseguimos estabelecer uma relação saudável com o espelho, usando como escudo essa expressão. Esconder o fracasso pode parecer um caminho fácil e eficiente, mas o coloca na famosa poltrona do conforto . Realmente não ligamos? Que mal tem em se sentir bem? Não há mal se soubermos gerir a vaidade sem nos tornar dependentes da aparência, num tipo de escravidão estética.

> O que disse o pensador?
> O livro *O retrato de Dorian Gray*, escrito pelo irlandês Oscar Wilde (1854-1900), nos coloca de frente com a realidade ao nos fazer constatar que, mesmo se descobrirmos uma forma de jamais envelhecer fisicamente, a alma pode se tornar degradada caso não seja nutrida de forma saudável.

A dependência da vaidade também pode se manifestar como egocentrismo, quando são exibidos traços de soberba e arrogância. Essa dependência é frequente em pessoas que pensam se libertar ao conseguir fama, liderança e poder, todavia elas acabam sendo algemadas, derrotadas e dominadas por esses sentimentos. É a abundância que se torna pouco, a intensidade que diminui a estatura. Percebe-se aí um comportamento neurótico por holofotes. A paixão excedente pelo ter cada vez mais e por ser sempre o centro das atenções corrompe o ser humano. Isso pode estar associado à carência, gerada pela repetição de estímulos e sensações relacionadas a elogios e exaltação do ego.

> O que disse o pensador?
> O médico Sigmund Freud (1856-1939), pai da psicanálise, afirmava: "Podemos nos defender de um ataque, mas somos indefesos a um elogio".

Os estudos de neurociência mostram que o cérebro fica "viciado" quando há reações de descargas do neurônio do prazer.

Todos nós gostamos de olhar para o espelho e nos sentirmos bem. Mas, sem dúvida, essa sensação é amplificada intensamente quando há mérito e recebemos elogios, homenagens e reconhecimento. Nunca se desejou tanto ser famoso como nos dias atuais. Porém, nesse caso, é bom que se tenha mais cuidado com a dependência da vaidade, pois ela é maligna, adoece e é um verdadeiro açoite para a mente humana. Essa dependência associa a autoestima ao aplauso do exterior, que pode gerar ainda a certeza de estar sempre certo e sofrer frustrações quando as opiniões alheias não vão ao encontro de suas expectativas. Quantas pessoas no auge de suas carreiras recebem apenas elogios e, a partir disso, passam a odiar críticas e *feedbacks* educativos? A dependência de ter sempre razão, em que não se aceita ser criticado, pode fazer com que o indivíduo passe a contar mentiras, manipular pessoas e dissimular circunstâncias.

Ser dependente do outro em relacionamentos é uma das formas mais perigosas e aprisionadoras do ser humano. A dependência faz com que a pessoa mais fraca não consiga mais se ver sem o outro, mesmo que este lhe cause prejuízos emocionais. O fim dessa história, normalmente, é a dificuldade em lidar com falhas, pois o dependente se incomoda sempre e acredita que as imperfeições do outro alimentam as crises. A partir daí, em muitos casos, a pessoa não percebe mais sua individualidade e não desenvolve seu potencial, não conseguindo avançar em seus objetivos de vida.

O indivíduo bem-sucedido também pode desenvolver dependências emocionais. Quando se pratica ferramentas que conduzem a relações saudáveis com as pessoas, consigo e com os próprios objetivos, a autoestima se eleva. Contudo, mesmo tendo êxito em todos os aspectos da vida, pode não se ter autoestima, e isso ocorre quando ser bem-sucedido se torna uma obrigação e entra na dependência do "ter". Acreditar que é preciso atingir o sucesso em tudo e estar sempre bem leva à baixa autoestima e causa insegurança. Ou seja, a autoestima positiva surge muito mais quando você se coloca como aprendiz e se dissocia do compromisso de ter de agradar. A dependência de ser bem-sucedido é o caminho pra baixo.

Quantas vezes olhamos para uma pessoa e a conceituamos pelo sucesso que ela obteve em algo ou pela posição social que ocupa? Coloco-me como exemplo: a todo tempo sou rotulado como artista, mas apenas em alguns momentos tenho criatividade e performance convergentes com o que se espera de um artista. Essas rotulações ligadas ao sucesso podem criar *personas* não só em quem é rotulado, mas também em quem busca conquistar o mesmo patamar de fama, que acaba por incorporar a mesma *persona*.

O que disse o pensador? Para o médico psiquiatra Carl Gustav Jung (1875--1961), as *personas* são enfaces sociais projetadas para esconder a real natureza de alguém, idealizando para a sociedade uma personalidade diferente. O psicanalista ainda ressalta: "*Persona* é o sistema de adaptação ou a maneira pela qual se dá a comunicação com o mundo. [...] Pode-se dizer, sem exagero, que a *persona* é aquilo que não é verdadeiramente, mas o que nós mesmos e os outros pensam que somos".

Todos nós podemos agir como estilistas, vestindo os outros com *personas*, de acordo com o que enxergamos nelas. Ao mesmo tempo, podemos estar sendo vestidos, não só pela ascensão social, mas também por outras posições atingidas. A dependência dessas máscaras é capaz de nos transformar em atores, que assumem papéis em tempo integral e perdem a autenticidade. Nas redes sociais, cada vez mais vemos personagens e super-heróis que parecem esculpidos com perfeição, e ao ser visto como uma obra pronta, o ser humano não muda nem procura mais se construir, transformando-se em um tipo de estátua. Mas estátuas não possuem conteúdo e, quando caem, se quebram. Tive a oportunidade de conhecer e conviver durante um tempo com um juiz de alto escalão do Poder Judiciário. Com a maior proximidade, eu e as pessoas ligadas a ele percebíamos nitidamente a dependência emocional da posição social e do *status* adquiridos, dos quais ele se tornava cada vez mais refém. Algumas vezes pessoas próximas tentaram avisá-lo, e até mesmo eu, nos poucos momentos de intimidade. No entanto, nessas abordagens, o ego crescia e os ouvidos se fechavam. Quando ele estava frente a frente com a possibilidade de largar a máscara, se afogava no uísque e nos vinhos, pois não dava conta de se encarar em mais momento algum. Aos poucos foi chegando a depressão, a síndrome do pânico e outros transtornos psíquicos. O final dessa história foi o suicídio.

Houve um tempo, em minha carreira, de forte ascensão ao sucesso. E o auge foi temperado por elogios, exaltação de ego e assédio, que, imperceptivelmente, causavam dependência. Eu então, aos poucos, alimentava essa *persona* (representação social), deixando para trás meu eu verdadeiro. A marca institucional, quando supera a pessoal, causa seríssimos transtornos. Perambulei muito de forma automática, numa cegueira absoluta, apenas agindo como o Leo, do Victor & Leo. Isso me afastou de mim, e a forma que encontrei para me libertar foi "descer do palco da *persona*". A estagnação formada nesse contexto é um grave problema. Depender de *personas* o coloca em um pedestal cercado por um robusto jardim, onde você passa a querer ficar eternamente. No entanto, quando você olha ao redor após algum tempo, as flores já murcharam e as árvores estão secas. Mesmo assim, muitas pessoas continuam a regar esse jardim, por vezes com uma água podre. O que essa metáfora significa é que a posição social, a liderança, o sucesso e o poder frequentemente arrancam aplausos falsos motivados por interesses.

É necessário trabalhar intensamente a habilidade sensorial autoperceptiva para que você tenha autoconhecimento e autodomínio, libertando-se da identificação superficial com as *personas* e não se moldando a partir de rótulos. Pode ser que agora você acredite precisar de máscaras, porém, a dependência do ilusório, uma hora ou outra, vai resultar em uma queda solitária. Há uma grande diferença entre gostar de parecer algo e ser algo intrinsecamente.

Em todos esses quadros de dependências, é essencial a busca pelo equilíbrio, pois todo excesso nos faz reféns. É indispensável que você se analise e faça caminhadas internas para identificar as ciladas mentais de dependências. Livrar-se dessas amarras amplia sua autonomia, confiança e autoestima. Na escola, aprendemos a resolver cálculos complicados e fórmulas exatas, porém, não somos ensinados a lidar com a inexatidão da complexidade humana. Não aprendemos a proteger nossas emoções, a amar e cuidar de nós mesmos, e não raramente atribuímos nosso valor pessoal aos bens que possuímos ou ao amor e à admiração que recebemos dos outros. Essa atribuição pode alavancar ainda mais as dependências.

Se você se conhece bem e promove fortemente seu amor-próprio, poderá perder o que tem, inclusive o

O que disse o pensador? O filósofo Arthur Schopenhauer (1788-1860) apontava: "É na solidão, onde cada um está entregue a si mesmo, que se mostra o que ele tem em si mesmo".

sucesso e o prestígio. Mas se sua autoestima é acompanhada por autorrespeito, seu núcleo não se perderá. A autoestima deve ser a consciência bem nutrida e a referência interna. Se autoconhecer pode ser uma estrada dolorosa, que expõe nossas fragilidades mais ocultas. Diante do autoconhecimento, frequentemente criamos o receio de reconhecer nossas limitações, pois as enxergamos como fraquezas que nos diminuem perante toda a sociedade. Nesse momento é preciso erguer o segundo pilar da Habilidade Revolucionária: a aceitação.

SEGUNDO PILAR – ACEITAÇÃO

Aceitar-se ativamente é o mesmo que se prontificar a não perder para o próprio orgulho. É perceber que, se eu possuo um pensamento destruidor, que bloqueia e limita minhas ações, é necessário admitir isso sem transferir minhas responsabilidades ou cair na vitimização. O seu eu pode sabiamente aceitar que você é um ser humano em construção, que erra, mas que, se assim determinar, consegue sempre se levantar e assumir a própria direção. Não somos reféns eternos de absolutamente nada. Onde você está hoje e aonde quer chegar dependem só de você. Aceitação é se entender como responsável e condutor das atitudes e dos comportamentos.

A aceitação não possui relação com o exterior e tampouco trata-se de conformismo. Pelo contrário, o que esse pilar propõe é um impulso para a mudança. Você não precisa aceitar de braços cruzados tudo que vem pelo caminho, seja por aquele que você já passou ou por aquele por onde ainda andará. Você é o agente do que deseja para si e consequentemente para as pessoas ao seu redor.

O pilar da aceitação é uma linha mediadora entre dois polos: o orgulho e a insegurança. Quando passamos pelo processo de autopercepção, identificando nossas limitações por meio de atitudes e pensamentos que nos prendem no cárcere do automático, o ego muitas vezes tenta mascarar a responsabilidade por esses atos.

O que disse o pensador? Freud dividiu a psiquê humana em Id (inconsciente), Ego (consciência do Eu) e Superego (consciência social). Ou seja, o Id corresponde a desejos, vontades e instintos; o Ego é a compreensão da própria existência no mundo, procurando satisfazer, e ao mesmo tempo adequar, os impulsos gerados pelo Id; já o Superego atua como um conselheiro a partir dos princípios absorvidos ao longo da vida.

Perder para o próprio ego pode levá-lo à ilusão de que você está ganhando dos outros. Porém, com o tempo, vai perceber que perdeu para si mesmo. Existem sentimentos que brotam como nascentes de água em nós, tais como a inveja, o ciúme, e o egoísmo, por isso é necessário possuir uma conduta ativa contra eles, e o primeiro passo é aceitá-los. Você só domina e controla aquilo que aceita. Essa conduta de aceitação ativa é que nos permite perceber e administrar essas nascentes, para que elas não se tornem enxurradas dentro de nós. Quantas vezes você, leitor, se deparou com a inveja e o ciúme quando, por exemplo, em uma reunião de trabalho alguém com um cargo próximo ao seu apresentou uma ideia sensata e vencedora? Transformar esses sentimentos em admiração pode te colocar em uma posição libertadora. Quando temos inveja nos limitamos e nos fechamos para o outro. Mas, ao cultivarmos a admiração, abrimos nossa mente e dedicamos mais atenção às ideias propostas. Se o aluno admirar seus professores, será capaz de superá-los; se os invejar, ele estará concorrendo com os mestres, bloqueando a absorção do conhecimento. Se você se afoga no ciúme, no egoísmo e na inveja, certamente adoecerá, e o pensamento altruísta nesse caso é a cura.

Ao não aceitarmos que somos responsáveis por nossos comportamentos, tentamos transferir nossa culpa por meio de justificativas que nos colocam como vítimas dos episódios da vida. Essas justificativas fazem com que nossa mente se acomode como dependente das circunstâncias, nos impedindo de desenvolver atitudes mais adequadas, o que caracteriza a não aceitação. E ela é uma das principais causas pelas quais as pessoas não se reinventam e não se revolucionam. Nossas limitações não podem ser vistas como males pelos quais temos que nos punir, mas sim como ganchos que nos proporcionam evolução. Se evitamos nossos monstros internos, nossos traumas e medos, jamais iremos conhecê-los e vencê-los.

Há alguns anos, eu fugia e evitava dois dos principais monstros internos que me acompanharam durante anos: a timidez e a vergonha. Pois bem, me autoconectei e identifiquei que esses monstros eram criados a partir do complexo de inferioridade e de inseguranças vindos da infância, que eu mesmo cultivara, sem enfrentá-los. Se eu não tivesse passado pelo processo de autoidentificação e, por meio da aceitação, me olhado no espelho e afirmado: "você tem complexo de inferioridade, você em alguns momentos se sente menor do que os outros", possivelmente eu não estaria escrevendo este livro. Travei uma guerra interna com minhas feras e hoje as domino, mas confesso que, em alguns momentos em que baixo a guarda, elas se reaproximam. Portanto, alerto: a autorrevolução não acontece numa única fase, é fundamental que ela seja constante. Seus fantasmas, invisíveis para os outros, encarnam e o acompanham na medida em que você não se liberta daquilo que os cultiva.

A aceitação tem como princípio que, ao se olhar no espelho, você não apenas se veja refletido externamente, mas seja capaz de enxergar ali uma pessoa que possui qualidades, acertos e conquistas, porém também com dores, erros, complexos e cicatrizes. É saudável que seu reflexo seja o de um ser humano em construção.

Pense sobre o que você é e faz, aceite-se, e então recrie-se.

O seu estado interno é o conjunto de seus sentimentos, pensamentos, emoções e sensações em um determinado momento. Quando temos relações, profissionais e pessoais, desgastadas ou que nunca conseguimos tornar estáveis, é comum transferirmos toda a conta para o outro. Decretamos em nosso inconsciente que nossa

> O que disse o pensador? O filósofo francês Henri Bergson (1859-1941) afirmou: "O que fazemos depende daquilo que somos, mas é necessário dizer que somos em certa medida aquilo que fazemos e que nos criamos continuamente a nós próprios. Essa criação de cada um por si próprio é, aliás, tanto mais completa quanto mais se pensa aquilo que se faz".

postura é daquela forma apenas porque se configura de acordo com o modo com que a outra pessoa se comporta. Essa transferência de responsabilidade também pode ocorrer quando culpamos as condições externas (econômicas, naturais ou sociais) por nossos resultados. De fato, imprevistos podem acontecer, porém eles podem não ser fatores determinantes. Você possivelmente conhece profissionais da área de vendas que vivem justificando os maus resultados pela crise econômica. Se olhassem para o lado, na mesma região em que atuam, com o mesmo produto e diante da mesma crise, esses profissionais perceberiam que existem colegas com bons resultados. Os primeiros não aceitam que o problema está com eles mesmos e que não deve ser terceirizado.

Esses contextos de não aceitação nos colocam como reféns de nosso orgulho, de tal forma que jamais nos colocamos como promotores dos nossos problemas e desvios de conduta. Passamos muito tempo questionando como os outros deveriam agir, mas não investimos essa mesma energia para ter um olhar crítico sobre nós mesmos. Nunca teremos o controle das ações alheias e muito menos das condições do Universo; entretanto, temos as rédeas da nossa forma de reagir diante de cada acontecimento. Aceitar suas limitações possibilita que você seja capaz de gerenciar seu estado interno, mesmo perante situações de conflito.

É importante também reconhecer que nem tudo está em nossas mãos. Muitos episódios, como perdas e tragédias, trazem sofrimentos que não poderíamos ou conseguiríamos evitar. Nesses casos, a aceitação dos fatos tende a ser dificultada por pensamentos de inconformismo e de culpabilidade. Mergulhamos então nossa mente em uma constante reprodução da sequência de eventos que levaram àquele momento traumático, procurando falhas, movimentos que deveriam ter sido diferentes, ou evitados, fazendo um julgamento duro que, muitas vezes, coloca a sentença da culpa sobre nós mesmos. Acolher nosso sofrimento é saber que ele é lícito e necessário, caso tenhamos a consciência de reconhecê-lo como tal. A partir disso, podemos escolher entre dois caminhos: a aceitação passiva, que nos prende à vitimização, ou a aceitação ativa, que nos conduz à mudança e ao crescimento.

A habilidade da neutralidade

Aceitar-se ativamente é abraçar seus monstros, sem vê-los como inimigos. Isso o levará a ter mais segurança para encontrar soluções que o libertarão. Quando os reprimimos, por vergonha de possuí-los, geramos um bloqueio ainda maior, que não nos permite a mudança. No entanto, ao acolhermos nossas limitações, entramos em uma condição de maior tolerância e reflexão. Como consequência dessa condição, passamos a ter mais ferramentas de transformação. Uma dessas ferramentas é o estado neutro.

Ter a habilidade de neutralizar nossas emoções perante divergências, episódios traumáticos e imprevistos é essencial para encontrarmos soluções lúcidas. As emoções intensas podem criar ruídos que impedem que tenhamos pensamentos claros. Nervosismo, raiva, desespero e agressividade, por exemplo, são sentimentos que bloqueiam nossa mente e travam a racionalidade; a partir disso, construímos um vórtice ainda mais carregado de emoções negativas. Neutralizar emoções não significa tornar-se frio e insensível, mas sim um observador de qualquer situação sob diversos ângulos, canalizando nossa atenção para a melhor alternativa. À medida em que buscamos um estado neutro que nos propicie acessar arquivos mentais saudáveis e motivadores, alimentamos nossa aura positivamente. As memórias são vivas – e capazes de ativar neurotransmissores que podem nos levar quase ao mesmo estado que estávamos no momento das ações. Sentimentos e pensamentos negativos consomem nossa energia, pois bloqueiam a fluidez e a excelência de nossas atividades ao longo do dia, podendo inclusive trazer consequências difíceis de serem revertidas.

Muitas das doenças físicas que nos abalam são contraídas em razão da baixa imunidade e o seu estado emocional está diretamente ligado à sua imunidade. Somos sustentados por quatro fatores: o físico, o mental, o espiritual e o emocional. O desequilíbrio em um deles vai reverberar para os demais na mesma onda.

Na sociedade de hoje, com a quantidade de problemas educacionais, sociais, econômicos e éticos aos quais estamos expostos, a habilidade de ser neutro é um recurso comportamental que adquire notável importância.

> O que disse o pensador? Segundo o filósofo francês Michel de Montaigne (1533-1592): "Quando você está com raiva de alguém, procure ficar quieto, porque naquele momento quem vai agir não será você e, sim, sua emoção".

Nunca, no calor das emoções, teremos lucidez se não treinarmos entrar em estado neutro. Quantas vezes vivenciamos situações intensas em que parecia haver apenas uma direção a seguir, mas, ao olhar para trás, percebemos que nossa visão dos acontecimentos foi limitada por emoções extremas? A partir dessa limitação, as decisões foram tomadas de maneira inconsciente, impossibilitando que percebêssemos a multiplicidade de caminhos existentes. Você é o cavalo de charrete, com o olhar limitado pelo cabresto, ou a coruja, enxergando por diversos ângulos diante das situações que lhe trazem emoções extremas? Se você deseja gerenciar melhor suas perspectivas, procure gerenciar o funcionamento de sua mente, pois esse é o ponto de partida para tudo. Não vai adiantar você querer transformar as perspectivas se sua mente e seus pensamentos não forem trabalhados. A habilidade de ficar neutro é importantíssima para lidar com os nãos que a vida pode colocar na sua frente, os confrontos, os incômodos e até mesmo as crises, que também acontecem pela retroalimentação de pensamentos. Repetir internamente que determinada situação não tem controle sobre você e nem pode derrubá-lo ou prejudicá-lo, e que você pode se manter neutro, observando de fora o problema, vai proporcionar segurança para tomar decisões que o conduzirão rapidamente a uma solução satisfatória. Treine a partir de pequenas situações – use sua capacidade de ficar neutro diante de um insulto ou piada que ocorram na sua empresa e com os quais você não compactua. Quando você adquirir um alto índice da habilidade de se comportar com neutralidade, constatará que dificilmente perderá o controle dos desafios. Essa habilidade produz uma blindagem capaz de fazê-lo superar situações de extrema tensão, com equilíbrio e tranquilidade notáveis. Mas coloco aqui um alerta muito importante: essa ferramenta precisa ser compreendida e direcionada para os momentos adequados, caso contrário ela pode causar transtornos e afetar comportamentos de forma prejudicial. Neutralizar sua emoção não é bloquear lágrimas quando a emoção nos convida, ou mesmo inibir reações naturais de sofrimento ou angústia. É preciso entender e controlar essa habilidade, colocando-a em prática somente quando se faz necessário.

Treinar diariamente seu estado neutro nos momentos que podem causar estresse possibilita que você respire fundo e não entre em um ambiente interno caótico. A respiração lenta e profunda é um exercício que consolida a neutralização emocional, porque faz com que batimentos cardíacos e mente entrem na mesma frequência, proporcionando maior controle das reações. Essa ferramenta, se bem administrada, traduz a plena autoconexão, que independe do meio externo.

Você só consegue neutralizar e controlar as emoções ameaçadoras quando aceita ativamente aquilo que causa a perturbação. Por exemplo: se sua ansiedade o perturba, procure descobrir qual é o sentimento que está por trás dela: pensamentos desordenados, sofrimento por antecedência, desorganização mental, falta de autocontrole, arrogância. Uma leitura superficial dirá às vezes que determinado comportamento é de ansiedade e ponto, porém, analisando-o mais profundamente, percebe-se que a raiz está na insegurança que gera desejo por atenção, fazendo com que a pessoa se torne ansiosa o tempo inteiro para se pronunciar, buscando suprir essa carência. Identificar esse nó interno é ponto chave da aceitação, e aceitá-lo ativamente é se colocar pronto e diariamente em ação para atingir e vencer inseguranças. Ao identificar qualquer um desses sentimentos, procure aceitá-lo, conhecendo-o e, em seguida, comportando-se ativamente para combatê-lo – esse processo vai se tornar intuitivo com tempo e treino. É necessário estar atento e alerta. Cotidianamente nossos sentimentos necessitam ser direcionados. Mesmo quando todos os setores da nossa vida estão prósperos, quantas vezes nos deparamos com o desânimo e a prostração? Quando optamos pela aceitação ativa, saímos da inércia e podemos mudar esses estados internos. Assim como nossas emoções são causadas pelo pensamento, que pode ser o vilão ou o herói frente aos acontecimentos, a operação de mudança emocional também parte daquilo que pensamos.

Gerenciar nosso condicionamento mental é decidir diariamente qual emoção vamos deixar se instalar em nós, a partir dos próprios pensamentos. Quando aceitamos que não sabemos lidar com algo ou alguém, deixamos de colocar a culpa no outro e admitimos que é necessário ter humildade e que está em nossas mãos a mudança. A partir disso, cabe a você escolher qual condicionamento é o mais adequado para aprender a lidar com aquilo que o desestabiliza. É importante que se toque o fundo dos buracos, ou seja, que se entenda profundamente os seus porquês, para que o processo de busca comece a reerguê-lo.

Ao entender, por exemplo, que é preciso paciência para enfrentar reuniões de trabalho, você pode criar um símbolo que o faça canalizar sua mente para essa qualidade nesses momentos. Esse símbolo pode ser um mantra, um colar, um anel, uma pulseira, ou qualquer objeto que o relembre do condicionamento que você deseja incorporar ali. Para a psicologia junguiana, os símbolos possuem mais do que sua significação óbvia, pois evocam conotações específicas, que podem ser coletivas ou individuais. Podemos entender o uso dos símbolos ao observarmos as religiões. Determinados símbolos possuem significados diferentes dentro de religiões distintas. Da mesma forma, muitas vezes inconscientemente também atribuímos significados individuais para um símbolo. O que esse recurso propõe é que de forma consciente você crie uma projeção simbólica do estado emocional, pois aquilo que se transforma em símbolo para você possui poder magnético para influenciá-lo emocionalmente. Ouvir uma canção ou ler algum texto pode também contribuir para a canalização do estado emocional desejado. Eu utilizo esse tipo de recurso em várias situações do dia a dia e comprovo sua eficácia em relação à fragilidade da memória nos tempos da era digital.

Aceitação interpessoal

Um importante exercício é o de aceitar as outras pessoas como elas são. Porém, para tanto, é importante conhecer o lado real delas, ainda que isso não seja nada fácil. Julgamentos são construídos pela mente a partir dos bastidores emocionais de nossas vivências. Situações que alteram nossas emoções são arquivadas e nos tornam reféns do olhar estabelecido naquele instante. Muitas frustrações surgem porque, ao deparamos com episódios em que nossa emoção é estimulada de maneira semelhante àquela que nos afetou anteriormente, nos prendemos ao ângulo pré-estabelecido em nosso histórico mental, delimitando reações e criando expectativas conhecidas. Libertar a mente dos preconceitos é essencial para que possamos desenvolver novos relacionamentos sem enquadrá-los nos julgamentos formulados em outras experiências. Reflita se você tem alguém na família ou no trabalho com quem teve conflitos traumáticos e episódios marcantes. Identifique se essa relação é ainda perturbada por algo que acontece de forma recorrente, ou se é alimentada pelos links de marcas anteriores. Caso perceba que o problema é do passado, sugiro que converse com a pessoa para que possam voltar ao episódio e tentar desfazer os nós, chegando a uma conclusão saudável. Se não conseguirem consenso, pense então na palavra "perdão" para ambas as partes.

Ao se frustrar com alguém, questione-se sobre os arquivos em sua memória e busque entender quais são os reais motivos para a decepção. Percepções iniciais geralmente não constituem a realidade; explore seus bastidores emocionais e reflita sobre como eles influenciam suas conclusões. Não delimite os outros àquilo que você observa neles, dê mais tempo para que se mostrem sob diversos ângulos. Questione e conheça para formar suas opiniões. E lembre-se de que elas podem mudar frequentemente, assim como as pessoas mudam suas atitudes e seus pensamentos. Mais uma vez alerto sobre os rótulos, que anulam as possibilidades de reconstrução ou reformulação das relações. Essa é mais uma ferramenta para o consenso. Fugir de rótulos é entender que as convicções absolutas são cárceres.

A aceitação ativa visa a que você não se mantenha estagnado com relação a si e aos outros, ela o habilita a ter a compreensão direcionada para a mudança.

Desenvolver a aceitação de modo constante, verdadeiro e firme é um pilar fundamental para que você possa definir e planejar novas metas que conduzem à sua reinvenção.

> O que disse o pensador?
> O filósofo alemão Friedrich Nietzsche (1844-1900) afirmava que: "Cobra que não troca de pele morre, e o espírito que não muda de opinião atrofia".

A ação define o perfil

Me deparo com muitas pessoas que afirmam que suas ações estão intrinsecamente ligadas ao modo como elas são, ao seu perfil. Acreditam, aliás, piamente que essa é sua natureza e por isso agem de determinadas formas já estabelecidas, em convergência com o que pensam ser. No entanto, existe nesse pensamento uma inversão de papéis para ser compreendida.

Seria confortante diante da existência, que é cíclica, imaginar que nascemos com características que nos moldam de um jeito e que, portanto, temos que nos comportar de acordo com esse perfil durante toda a nossa jornada. Entretanto, a ordem cabível nesse caso exige mais comprometimento e trabalho: você não age de determinadas maneiras por ter algum tipo de perfil; ao contrário, você tem um determinado perfil por se comportar e agir de tais formas que o moldam. Quando enxergamos essa ordem invertida, estamos possivelmente justificando aquilo que não conseguimos mudar.

Você talvez conviva com pessoas que sempre estão atrasadas e afirmam que agir assim é da sua natureza, que funcionam bem assim e que não lhes convém mudar. Elas não entenderam que quanto mais se atrasarem, mais serão influenciadas a pensar que essa é sua verdadeira natureza – estarão alimentando seus links de memória sem o saber. Porém, o que acontece de fato é que elas estão envelopadas no achismo do conforto. Estar sempre atrasado se torna facilmente um vício criado por pequenas atitudes indisciplinadas. A repetição dessa conduta algema a pessoa nesse movimento automático e reforça o surgimento de um preconceito comportamental. O mesmo acontece com pessoas que são explosivas ou geniosas e passam a ter um discurso que justifica o fato de ser assim, ou que essa é sua natureza. Quanto mais grosseiras são com as pessoas de seu convívio, mais impulsionam a mente a ficar presa na ideia de um perfil que age com estupidez. Muitas vezes, esses comportamentos passam a ser encarados pela própria pessoa, e em alguns casos também pelas que a cercam, como sendo absolutamente naturais, e todos simplesmente se acostumam.

O perdão

A capacidade do perdão é virtude nobre e instrumento indispensável para a própria saúde emocional, além de recurso importante nas relações com o outro. E o grande agente dele é você mesmo. Se você não se perdoar por suas falhas, erros, tropeços e enganos, dificilmente o fará com quem o magoar. O autoperdão é a consciência e a aceitação de que você sempre será um ser em desenvolvimento.

Muitas vezes, o perdão é o Merthiolate® das feridas psicoemocionais. Quantas vezes tentamos compensar atitudes incoerentes com pessoas próximas simplesmente agindo de outra forma, mas não fazendo o essencial, que é pedir perdão? Quantas vezes acreditamos que o tempo seria consolador para as mágoas, no entanto elas se tornaram fardos pesados? O que aconteceria se seus dissabores, seus rancores, seus remorsos e seus ressentimentos fossem anilhas de ferro que você tem de carregar por onde for? Quantos quilos seus passos teriam que transportar hoje?

Perdoar não é aceitar atitudes que lhe fazem mal. Perdoar é livrar-se do peso das anilhas. O perdão também pode ser uma tecla delete, que possibilita a você se livrar de comportamentos automáticos que fazem com que se apegue a esses fardos. Somente você ficará desgastado e terá prejuízos emocionais ao ter de carregar o peso de mágoas e continuar a alimentá-las. Ser indulgente, tanto consigo quanto com os outros, é primordial para que você passe a olhar para frente, não mais ruminando ressentimentos, rancores e decepções.

> O que disse o pensador? O filósofo alemão Friedrich Hölderlin (1770-1843) recomendava: "Não permita que a mágoa alveje seu coração; o entendimento é a égide que, na guerra do mundo, nos protege contra as flechas venenosas".

Podemos agir de modo reativo ou ativo no que diz respeito aos acontecimentos que nos alcançam. O modo reativo permite ser atingido e fragilizado, e a reação, na maioria das vezes, é a vingança ou a vitimização. Já ao termos um comportamento mais ativo, protegemos nossa emoção com um escudo que desconstrói os ataques. A prática da neutralidade cabe perfeitamente nessa situação. A ofensa deixa de existir quando você não se coloca como ofendido. Quando compramos algo, buscamos por aquilo que nos traga algum benefício. No entanto, quando compramos a ofensa que nos é dirigida, adquirimos um sentimento que não traz vantagens. Nesse tipo de situação, o jogo precisa ser jogado, mas, reagindo como um peixe que morde a isca no anzol, você facilmente será derrotado. Saber ceder e se colocar no modo neutro, não se desconectando do seu eu e se preservando, é usar a estratégia certa e vencedora. Procure perceber se, frente aos obstáculos, você pisa no freio e senta na cadeira passiva, usando frases como: "não consigo, tenho medo, já tentei muitas vezes, preciso mas... um dia eu consigo, sou assim mesmo". Se esse é seu caso, saiba que assim você continuará estacionado. Esse não é o seu lugar: levante-se e siga.

TERCEIRO PILAR – DIREÇÃO

Quando você sai de casa sem endereço de onde quer chegar, pode se perder facilmente. O mesmo ocorre quando se vive sem propósitos. Eles guiam a rota e são sua bússola interna. Por isso, é preciso conectar-se consigo mesmo e se direcionar diariamente para seus endereços vitais, para que cada dia seja um passo rumo ao que você deseja atingir. Mais do que seguir a mesma estrada que outras pessoas usaram para conquistar objetivos, edifique todos os dias a direção do seu rumo!

Imagine-se em um barco em meio ao oceano. À sua volta, não há nada além de águas turvas, mas olhando para o horizonte você enxerga a terra firme, que se torna seu endereço. O seu propósito, então, passa a ser chegar até lá. Você começa a remar sem parar nessa direção e a distância parece enorme, mas seu objetivo é o seu motor, e você segue. No meio do caminho você vislumbra uma ilha que parece encantadora, mas ela está fora da rota, da direção que você busca. O que o atrai nela é que parece acessível, mais rápida de ser atingida e não exigir tanto esforço para se chegar quanto no caso de seu endereço inicial. Você, atraído pelas facilidades, muda o rumo e vai para a ilha. No início, a visão é deslumbrante e o solo é aparentemente seguro. Mas, à medida que a explora, você percebe que ela tem muita areia movediça que pode aprisioná-lo, além de outros problemas que desconhece. Quando se dá conta, você perdeu tempo, gastou energia em um atalho ilusório e se desviou do propósito – que no entanto ainda está lá. Então, mesmo diante da dificuldade, suas ações voltam a ser direcionadas para chegar até a terra firme, que era o objetivo inicial. Agora, você rema com maior convicção e perseverança, abraçando a dor do esforço para superar as turbulências. Ainda que haja obstáculos, seu cérebro está motivado para encará-los e, após passar por todas as tempestades e ilhas, finalmente a terra firme está sob seus pés. Ao refletir, você percebe que cada remada isolada parecia ineficiente no início, porém ter alterado a direção do propósito só trouxe prejuízos e atraso. O fato de ter redirecionado o seu endereço para a meta inicial foi o que permitiu que você alcançasse de fato a grande realização, que deu segurança e sentido para sua jornada.

A metáfora acima diz respeito à forma como agimos para com nossos endereços, direções e propósitos na vida profissional e pessoal. Muitas vezes estipulamos metas, mas não abraçamos o esforço para chegar até elas. Tomamos atalhos que parecem mais fáceis, mudamos atitudes e esperamos que alguém nos ofereça um bote salva-vidas. Temos grandes sonhos, mas não os construímos diariamente. Frequentemente ancoramos em ilhas ilusórias e nos conformamos com a paisagem, porém, quando nos damos conta, estamos na areia movediça. Assim como foi preciso remar constantemente para alcançar a terra firme, para conquistar seu endereço é necessário ter atitudes direcionadas a ele todos os dias. É fundamental perceber e eliminar atividades supérfluas, que não trazem nenhum benefício. Colocar foco em direções vitais saudáveis também permite que você perceba relações que não agregam nada aos seus propósitos. Nessa situação, pilares como a conexão e a gestão são primordiais, pois eles fornecem ferramentas para que você esteja centrado em si ao longo do dia e com as prioridades da sua jornada voltadas para o que você deseja.

Mapear as direções de seu dia, de suas atividades e de suas relações é tão importante quanto levantar-se da cama. Sem foco nos propósitos, andamos por atalhos e, frequentemente, no fim do dia terminamos frustrados. Você já teve a sensação de ter feito inúmeras atividades em um determinado tempo, porém, quando as alinha com seu endereço, parece que não saiu do lugar? Fique atento, esse é um sintoma da falta de direcionamento.

Sugiro o exercício de buscar sempre entender e definir a razão para suas ações. Esse é mais um hábito que adquirimos com treino. Muitas vezes somos seduzidos por falsos endereços, mudamos nossa direção e o resultado é negativo – pese e avalie antes de tomar atalhos. Em diversas ocasiões, me vi andando sem direção definida e, pior, sem perceber. Quando parava para avaliar, me dava conta de que havia caminhado e caminhado sem chegar a nenhum lugar efetivo, simplesmente por não ter ficado atento às direções que havia tomado. Redirecionar meus passos exigiu que eu estabelecesse uma conexão mais intensa e qualitativa, potencializando assim a percepção do meu foco diário, o que permitiu me aproximar dos endereços desejados.

Direcionar-se é definir como alcançar endereços vitais. É o conjunto de tudo aquilo que o guia diariamente e que o torna um ser em ascensão. São os itinerários que o preenchem e o fazem realmente assumir o volante de sua jornada. Já observou quantas pessoas ao seu redor não estão na direção de suas vidas? Elas não possuem uma bússola própria – e o prejuízo disso ao longo dos anos é imensurável. Um passo fundamental para definir suas direções, especialmente as vitais, é o autoplanejamento estratégico. Mais uma vez, lembre-se da coruja, que consegue visualizar ao redor por diversos ângulos. Em nossa jornada não é diferente: é muito importante essa visão multiangular, identificando de maneira consciente todos os obstáculos pelo caminho e percebendo qual é a direção a ser tomada.

Por estar entrando no terceiro pilar da Habilidade Revolucionária, você já deve estar pondo em prática os dois primeiros: a percepção e a aceitação. E passou a tomar consciência diária de pensamentos, comportamentos, rótulos e vícios que o desviam dos objetivos propostos. Entendeu que ficar justificando suas condutas só o aprisiona no cárcere do automático, onde você continuará repetindo mais do mesmo. Para mudar isso, aceitou ativamente seus monstros e passou a praticar o estado neutro diante dos conflitos, procurando canalizar as emoções e ampliar os caminhos para soluções mais lúcidas e que tragam mais benefícios. Agora, você já pode organizar melhor seus passos em benefício próprio, definindo e escolhendo novas direções. Deve estar começando a perceber naturalmente que mente e pensamentos traçam novas atividades, para você poder seguir mais seguro e de forma mais coerente com seus endereços.

É fundamental que seus objetivos tenham real importância para sua vida e que você construa um guia completo da rota – e não mais um rascunho impreciso. Endereços supérfluos não o sustentarão diante dos inúmeros obstáculos e imprevistos que a existência propõe.

Dialogar sobre direções e metas, com pessoas em quem você realmente confia, vai permitir que tenha mais segurança durante o planejamento estratégico. Compartilhar ideias é torná-las mais multiangulares, abrindo horizontes. A escolha de novas direções diárias será sempre sua, mas se alimentar de outras visões faz com que você possa perceber trechos ou obstáculos que estavam ocultos. Estar aberto a opiniões críticas sobre suas sombras é ter a oportunidade de iluminá-las. É importante valorizar as qualidades e os êxitos, porém, ao mesmo tempo, é essencial abraçar suas fraquezas, muitas vezes utilizando também os braços das pessoas à sua volta. Mas tenha cuidado com quem você divide seus planos e objetivos. O sigilo é essencial perante os olhares que apenas desejam assistir às suas quedas – e, tenha certeza, eles são muitos. Comece a percebê-los com o próprio questionamento durante o diálogo, ampliando a habilidade perceptiva. Enfraqueci muitos de meus endereços por dividi-los com quem nada tinha a acrescentar. É bom conter o anseio de compartilhar seus passos se você busca ser aplaudido pela direção na qual está indo. Muitas vezes agimos assim simplesmente para ouvir elogios e maquiar nossas carências.

Abdicação

Nossa vida é composta por diversas esferas: a profissional, a familiar, a conjugal, a das amizades e a pessoal, e todas elas englobam a saúde, os estudos, o bem-estar espiritual e psíquico. Dentro desse leque, é aconselhável definir quais são seus endereços prioritários, e se realmente você tem direcionado suas ações para eles. A autorrevolução, em diversos aspectos, pode amplificar seu nível de performance e a quantidade de atividades que você se dispõe a fazer. O cuidado nesse momento é crucial para que sua rota não se transforme em uma bola de neve. Você pode estipular de forma mais precisa suas direções, mas ainda assim é interessante realizar uma sequência de questionamentos a si mesmo e esgotar os porquês que cercam as metas que foram definidas. Naturalmente, você vai identificar atividades muitas vezes até prazerosas, mas que circunstancialmente terão de ser abdicadas. E esse é um dos pontos-chave da caminhada. Estabeleça um mapa com as estações pelas quais terá de passar, sendo verdadeiro consigo dos lugares e atividades que terá de abdicar para chegar ao destino. E lembre-se sempre que não existem escolhas sem perdas, assim como é impossível triunfar sem derrotas. Na maioria das vezes, o atleta que consegue um melhor desempenho é sempre aquele que mais abdicou do lazer, por exemplo. Endereços vitais custam lágrimas, suor e esforço. Ao traçar sua direção para bens materiais, pergunte-se o que isso realmente lhe trará e o motivo pelo qual você o almeja. Procure o que te traga satisfação profunda, não apenas prazer imediato. Abra mão do supérfluo e desnecessário. Antes de ser fiel aos seus desejos, seja fiel aos seus princípios e valores.

Muitas pessoas que definem grandes endereços desistem durante a escalada da montanha. E a parte mais árdua está sempre no início, porque seu cérebro está acostumado com outro contexto, o do conforto. Deparando-se com as barreiras no meio da subida, há quem queira chegar muito antes da hora e procure trilhas, porém elas são formas de pular etapas. Os atalhos normalmente estão repletos de desculpas, justificativas que desencadeiam em alguns casos a autossabotagem. Se você perceber que está no caminho errado, e que seguir irá apenas desgastá-lo, busque alternativas, não trilhas; tenha um GPS mental. Seus endereços possuem faturas que são resultado de sua rota. Faça o planejamento de seus passos!

Alguns bens materiais são desejos passageiros, que geram prazeres momentâneos e que precisam ser distinguidos dos endereços vitais. Mas o ser humano tende a escolher essas ilusões para suprir algo interno, perdendo um tempo precioso. Destinos vitais têm um significado muito maior. O tempo de trajetória também é um fator substancial. Quando os endereços vitais são bem definidos e alimentados, você leva o tempo que for preciso para atingi-los e não se desvia, porque, mesmo que haja cansaço, há um benefício ligado ao vínculo forte com aquele propósito. Nesse caso, há algo intenso que o puxa, motiva e entusiasma, como um ímã, mas é comum que após algum tempo esse imã perca força. Nesses momentos, fortalecê-lo é primordial, porque o desvio começa com esse enfraquecimento. Houve um momento em que meu endereço na música era apenas cantar para receber o cachê. Em um período de crises, quase desisti. Mas foi exatamente nesse ponto da minha trajetória que apreendi e percebi que a música podia ser uma ponte robusta para sorrisos, fortes emoções e alegrias para as pessoas que me ouviam. Que eu poderia, sim, fazer a diferença nesse mundo com a música, sendo útil às pessoas. A partir daí, defini que eu teria um viés e um direcionamento mais nobres com a arte. Com esse objetivo principal nos shows, esse pensamento interiorizado durante as canções passou a ser um ímã que me trouxe para grandes realizações e alegrias. O mesmo ocorreu com respeito às palestras:

defini desde o início que meu endereço seria impactar vidas, influenciar pessoas. E esse é o ímã que me puxa, me motiva e contribui para direcionar ações e atividades nesse campo. Essa conduta consciente me faz mais resistente, mais resiliente e independente, pois tenho uma meta que me impulsiona sempre a superar percalços e seguir em frente. Seus endereços precisam estar conectados com aquilo que nutre sua alma; perceba e descubra esse tesouro. Assim, não importará o tamanho da montanha, suas metamorfoses durante a subida acontecerão a qualquer custo. Os que sentam na poltrona do conforto não mudam, existem mas não vivem. Apaixone-se pela mudança. A metáfora de Raul pode ser entendida como o não conformismo diante daquilo que parece ser uma situação confortável sob a ótica financeira – a abdicação da acomodação está implícita. Muitas pessoas me perguntam como mantenho minhas atividades em dia, sendo elas inúmeras: shows, produção, horas em estúdio, campanhas publicitárias, escrever, funções executivas e empresariais, palestras e a vida pessoal, procurando sempre manter relações de qualidade. Ter adquirido em meu DNA essa consciência diária da busca pelo novo, me apaixonar pela transformação constante,

> O que disse o pensador?
>
> O músico Raul Seixas (1945-1989) alertava, na canção "Ouro de tolo":
>
> "Eu é que não me sento
> No trono de um apartamento
> Com a boca escancarada
> Cheia de dentes
> Esperando a morte chegar".

acordando e buscando descobrir sempre a melhor versão do hoje e abdicando daquilo que não me traz felicidade se tornou fundamental para me mover em tantos aspectos diferentes. Se você não sente amor por nenhuma das áreas em que está vivendo, você está subsistindo por obrigação. Claro que é comum nos perdermos em alguns momentos; contudo, reconectar-se consigo mesmo é essencial para traçar o caminho de volta para a estrada principal.

Direcionar-se é definir, planejar e executar as atividades do seu dia a dia para dar sempre um passo a mais em sua jornada. É preciso que você construa no hoje cada vitória, saboreando seus avanços e novas direções. Imagine que seu endereço a partir de agora é ser um atleta olímpico de alto rendimento. Para chegar a isso, quantas horas de treino por dia serão necessárias? Quanto será preciso readequar sua alimentação? Do que você terá de abdicar? Quantos hábitos teriam de ser abandonados por não convergirem com seu propósito? Quanto você teria de se apaixonar por essa ideia, a ponto de encontrar sabores especiais em cada obstáculo vencido? Quanto sua disciplina teria de ser trabalhada no dia a dia?

Se usarmos como exemplo o ambiente dos negócios, imagine então que seu endereço é tornar-se um empreendedor. Quantas horas de estudos seriam fundamentais para o seu desenvolvimento e o de seu produto ou serviço? O que realmente o move como um ímã em direção a esse novo objetivo? Quantos obstáculos precisariam ser ultrapassados sem medo para entrar no mercado? Você teria poder de superação diante das abdicações e perdas? Quão firme você teria de ser frente a seus concorrentes? Quão disposto a encarar o novo a todo momento você estará para poder oferecer algo a mais aos seus clientes?

Em qualquer esfera, a conquista de seus endereços nascerá das direções que você plantar. E suas ações são a fonte que rega as sementes fincadas na terra diariamente. Caso sua escolha seja não direcionar conscientemente suas ações para o endereço que deseja alcançar, os resultados serão administrados apenas pelo senhor tempo. E este trará, inevitavelmente, as consequências implícitas – será impossível fugir delas. Se algo hoje não caminha como você quer, certamente é porque seu senso de escolha e a percepção das consequências não estavam estáveis quando você deu os primeiros passos. O tempo, então, como um sábio ancião, bate à porta para trazer os resultados das pegadas que você deixou em sua trajetória – portanto, seja aliado dele. Você pode enganar as pessoas ao seu redor com manipulações e pode se enganar com escolhas sabotadoras, mas não poderá ludibriar nunca o tempo. Procure ser coerente com suas escolhas, seja o velejador do seu barco. Existem pessoas que querem estar em determinados endereços hoje, colhendo todos os frutos, contudo caminham sem direção, parecendo sempre estar no vazio.

Esse sentimento de vazio muitas vezes pode ter sido trazido pelo tempo não aproveitado.

Mesmo que agora nada pareça estar no horizonte, mais tarde você se defrontará com os resultados das direções traçadas por seus passos. Portanto, é aconselhável fazer escolhas conscientes, que direcionam aos endereços vitais, nos tornando velejadores preparados para seguir mesmo com ventos contrários.

Possivelmente você conhece pessoas que estão sempre procurando algo que esteja em alta, na boca do povo, pulando de galho em galho, sem determinar as direções para um propósito, ficando como uma biruta, sempre à mercê do vento. Nesses casos, fica evidente que não há um ímã vital, um endereço nobre, algo que as impulsione realmente para uma meta própria, abdicando do supérfluo, do modismo. E você, é a biruta ou o velejador?

Filtro de estímulos e emoções

Para ter mais coerência ao se direcionar para seu endereço vital, é necessário filtrar o trajeto. Podemos usar como metáfora o conto da Chapeuzinho Vermelho. Ela possuía como destino a casa da avó, mas não filtrou o caminho de acordo com os perigos, tomou um atalho e então apareceu o lobo mau e todos conhecemos as consequências e a moral da história. Filtre seus endereços eliminando aquilo que não é adequado e afaste os lobos. Se você estabelece, por exemplo, que deseja emagrecer priorizando a saúde e, frequentemente, vai a lugares que não favorecem esse seu objetivo, o itinerário não foi bem traçado e você está sendo seu próprio lobo. Descobrir isso, novamente, requer os fundamentos do primeiro pilar da Habilidade Revolucionária: a percepção. Para eliminar maus hábitos, como cigarro ou outros vícios, mais uma vez é fundamental adquirir a consciência da importância de abdicar. Por exemplo, a pessoa que decide eliminar o cigarro precisa definir e filtrar, excluindo alguns itinerários. Encontrar-se com outros fumantes e frequentar os mesmos ambientes deles são ações que dificultam o processo e podem inclusive desestimular.

Assim como é preciso selecionar suas rotas, é importante também usar um filtro nos estímulos sensoriais que influenciam suas emoções. Vivemos sob uma avalanche de informações o tempo todo, vindas de fontes diversas, e muitas vezes absorvemos de maneira automática esses estímulos. Nos dias atuais, com a maciça propagação de notícias por diversos meios de comunicação, inclusive Whatsapp e Facebook, muitas vezes, para quem não é profissional da área jornalística, as emoções são perigosamente atingidas, moldando uma personalidade assustada e instável emocionalmente. O estímulo exagerado dos cinco sentidos provoca estresse e pode atrapalhar funções fisiológicas. Mesmo que o consumo das informações ocorra involuntariamente e de maneira parcial, ele pode gerar reações químicas desfavoráveis em nosso organismo.

Filtrar os estímulos aos quais estamos expostos é essencial para a saúde física e mental. No entanto, não é somente o externo que pode nos influenciar. Pensamentos, sentimentos e emoções também geram alterações químicas e magnéticas no corpo. Quando a fonte for negativa, essas alterações reverberam em comportamentos impulsivos, maus hábitos e condutas ruins, que criam uma barreira para a disciplina voltada à saúde. Diante disso, dirigir-se para a autopercepção é essencial para que você identifique essas possíveis obstruções e as filtre. Quanto mais agressivos os estímulos e maior nossa exposição a eles, mais intoxicados emocionalmente estaremos.

Muitos dos problemas físicos são ocasionados pela carga de toxinas que acumulamos no corpo. Além dos estímulos diários que causam a intoxicação física, podemos estar intoxicados também mental, emocional e energeticamente. No campo mental, a intoxicação pode derivar de crenças mal estabelecidas, preconceitos, ideologias, monstros internos não aceitos e traumas não superados de forma adequada. No campo energético, o desequilíbrio das emoções e a constante adesão a frequências prejudiciais (tais como raiva, desânimo, ansiedade e inveja, entre outras) são algumas das causas da intoxicação. E no campo físico, alimentos, água e ar contaminados intoxicam o corpo.

Desintoxicar-se fisicamente requer conduzir de forma ativa os filtros em cinco fatores: a nutrição alimentar, a hidratação, a respiração, a atividade física e o relaxamento. O equilíbrio em cada um desses itens é capaz de harmonizar a atuação das funções do organismo. Já a desintoxicação psicoemocional envolve a percepção, a aceitação e a conexão, que abordaremos no quinto pilar. A autopercepção permite que você entenda de onde parte a intoxicação e qual é a causa. A aceitação lhe dá recursos para aceitar de modo ativo suas falhas comportamentais – aquelas que o intoxicam –, proporcionando o impulso para a mudança. O redirecionamento com uma boa conexão lhe dará ferramentas para viver de fato no hoje, de forma saudável, sendo capaz de filtrar e organizar as atividades.

Filtrar sua rota, seus estímulos e suas emoções é indispensável para que você chegue a seus endereços e se mantenha feliz durante o percurso, eliminando as iscas que o puxam novamente para maus hábitos e para a poltrona do conforto.

Projeção mental

A frequência do entusiasmo é um importante impulsionador em sua jornada. Para gerá-la, o exercício da projeção mental é fundamental, pois ele vai permitir que você saia do hoje e se imagine com suas metas alcançadas, seus endereços conquistados. É como se você desenhasse a figura que deseja se tornar, imaginando o que isso lhe traria, como você e as pessoas o enxergariam e como essas mudanças poderiam influenciar outras pessoas. É você se colocar lá na frente, exatamente como deseja, mas olhar para trás. Comece a concretizar seus desejos nesse momento, anotando todas as suas projeções e desenhando bem o cenário pretendido.

Em minha vida, tive situações que me exigiram essa consciência e atitude. Na adolescência, quando comecei a aprender a jogar tênis, eu não tinha dinheiro para pagar a mensalidade. No entanto, me propus a ajudar nas quadras, para ter aulas. Durante os intervalos, treinava saques sozinho e, muitas vezes, diante do sol forte, do cansaço e dos deboches, pensei em desistir. Porém, quando esses pensamentos de desestímulo surgiam, eu logo projetava em minha mente aquilo que mais desejava e alimentava esse ímã todos os dias nas quadras. Após três anos, atingi o nível que queria no esporte. Em alguns momentos em Belo Horizonte e, posteriormente, em São Paulo, cheguei até a dar aulas para ajudar nas despesas. Repetir intensamente algo em seu cérebro pode levá-lo a tornar aquilo realidade, por meio da atração. Esse exercício é capaz de fortalecer os ímãs que o puxam para seus endereços.

A projeção mental é útil também para eliminar hábitos ruins, ou compulsões. Se você deseja deixar de comer açúcar, experimente dizer que não gosta desse alimento, repetindo isso a si mesmo e a quem lhe oferece.

Projete a figura em que depois de dois anos você estará sem comer açúcar – estipule os porquês e diariamente reafirme suas projeções. Em algum tempo, perseverando, você não sentirá mais falta do açúcar. Isso pode lhe parecer estranho e difícil de realmente dar certo, porém tive experiências pessoais em que apliquei essa ferramenta e de fato os resultados foram muito positivos; consegui ficar meses sem comer açúcar. Esse processo também acontece por meio da retroalimentação do pensamento.

O livro *O segredo*, de Rhonda Byrne, exemplifica como podemos direcionar nossa mente para aquilo que almejamos. A obra de Byrne baseia-se na lei da atração e dialoga com o poder de nossos pensamentos. Para a autora, atraímos tudo o que desejamos, da mesma forma que atraímos o que não desejamos. Por isso, é essencial gerenciar os pensamentos, tendo cuidado para não gastar mais tempo pensando no que não queremos (até mesmo fatos do passado) do que naquilo que de fato buscamos alcançar. Observe se seus pensamentos estão mais direcionados aos problemas ou às soluções. Lembre-se de que sua mente gera energia, portanto, defina e planeje seus endereços, exercite constantemente a projeção mental que vai colocá-lo neles, ou seja, na posição em que você deseja estar.

O poder do livre-arbítrio

Penso no livre-arbítrio como uma maneira de podermos escolher, criar e construir nossa realidade desejada, como uma partícula do Criador que somos. O livre-arbítrio diz respeito à sua própria liberdade. Ou seja, somos um pedaço do todo, ao mesmo tempo que temos em nós a totalidade individual. A partir disso, você determina sua realidade por meio desse poder e, assim, define o que é a sua felicidade. No entanto, a rapidez do mundo atual encarcera muitas pessoas em concepções automatizadas. Muitas vezes vive-se sob crenças e hábitos adquiridos culturalmente, sem a mínima reflexão sobre a efetividade e o valor disso para a nossa existência individual. As ideologias, enquanto conjunto de ideias que orientam uma forma de olhar para o mundo, e os paradigmas como modo de viver de uma época, são fatores que estruturam muitas culturas. Quebrar esses pressupostos não é simples, porém se torna necessário em algumas ocasiões. A exemplo disso, temos a excessiva valorização do "ter" na ideologia capitalista. Por estarmos sob esse sistema, podemos nos deparar com uma ideia pré-fabricada sobre felicidade. Pensamos então que ser feliz é ter bens materiais, e nos surpreendemos quando encontramos alguém feliz mesmo vivendo em condições mais precárias. A busca incessante por essa falsa felicidade gera estresse mental e emocional, porque a indústria sempre cria um produto novo, que nos parece ser indispensável, e imediatamente desprezamos o que tínhamos. É o ciclo vicioso do consumismo.

Ao exercer o livre-arbítrio, somos capazes de pensar criticamente sobre tudo que nos cerca, para que assim possamos definir mais sabiamente onde encontrar a felicidade. Pensar com autonomia também é uma forma de ter eficácia nos direcionamentos, uma vez que você passa a definir e decidir o que é conveniente para você, deixando de lado o que não tem importância e tendendo a encontrar mais facilmente o que realmente lhe faz bem. Conhecer e respeitar sua individualidade é o primeiro passo para um viver pleno.

Refiro-me aqui a uma individualidade que sabe também pensar de forma sistêmica. Por vivermos em sociedade, ser livre também envolve pensar no próximo, nas pessoas que nos rodeiam – e isso requer limites. Antes de satisfazermos nossas vontades e desejos, é vital refletir se nossos atos irão esbarrar em alguém.

Perceba em você mesmo aquilo que não deve ser feito ao outro. Reflita e aja de forma sistêmica para estabelecer os limites da sua individualidade, respeitando o espaço das demais pessoas. Pense se você está realmente disposto a arcar com as consequências, inclusive aquelas que ocorrerão para os outros em decorrência de uma atitude sua. É bom que suas direções não sejam ao mesmo tempo obstáculos para os que o cercam. Conheça verdadeiramente a si mesmo para ter a liberdade de decidir sobre seus passos.

> O que disse o pensador?
> O filósofo alemão Immanuel Kant (1724-1804) nos apresentou o imperativo categórico como principal conceito da ética, em sua visão. E deixa o alerta: "Aja como se a máxima de tua ação devesse tornar-se, através da tua vontade, uma lei universal".

O que disse o pensador? Segundo os discípulos de Osho (1931-1990), ele também foi ao encontro dessa máxima, ao entender que "A menos que você venha a saber quem é, tudo que você busca é fútil, porque você não conhece o buscador".

Utilize o poder do livre-arbítrio para construir seus verdadeiros alicerces. Porém, leve em consideração mais uma vez que, qualquer escolha implica em perdas. Esteja mentalmente preparado para se molhar, se cansar e se esforçar, caso decida pular no mar. Usar a liberdade a seu favor não o exime das responsabilidades; não presuma haver caminhos fáceis. Você pode ir aonde desejar, pode colocar em sua rotina o hábito que quiser, assim como pode eliminar o comportamento que considerar inadequado. Você pode cumprir todas as suas metas. Pode direcionar sua felicidade ao que melhor lhe convém e pode decidir a quais frequências aderir, independentemente das situações externas. Porém, desenvolver qualquer um desses pontos requer esforço e treinamento diários. Ao tornar-se consciente disso, você potencializa seu entusiasmo diante das complicações e amplia sua resiliência. Ser resiliente é também exercer o poder do livre-arbítrio. A resiliência é a escolha de adaptar-se às circunstâncias e perante elas ser capaz de tomar decisões.

Por outro lado, quando se fala em liberdade, muitas pessoas pensam em viagens, festas, bebidas e até mesmo drogas. Mas fazer tudo o que lhe vier à cabeça é desenhar um quadro no qual limites são ultrapassados – é preciso refletir: teria isso tudo uma relação intrínseca com o livre-arbítrio? Será? Pense bem, essa é uma ponderação para ser feita diariamente a respeito de tudo.

Ser livre não significa realizar todos os desejos, tampouco desprezá-los. Ser livre é agir de acordo com o que se pensa, respeitando os limites dos outros; é se reinventar, estar em metamorfose constante. Ser livre é enxergar de forma ampla, como as águias. É saber improvisar, criar e ousar. A liberdade sem responsabilidade perde a autenticidade e se transforma em libertinagem. Se você deseja ser dono de suas ações, responda por elas. Somente assim conseguimos ter autonomia para viver a vida da forma como sonhamos e projetamos.

A verdadeira liberdade está em se descolar de dependências emocionais e de suas prisões internas para se recriar – é driblar convicções e julgamentos e, de forma lúcida, analisar cada episódio racionalmente, ciente de que tudo é, e sempre será, cíclico na existência. Envolve sentir o prazer de poder pensar e decidir a forma de viver como melhor lhe convier. Entender que podemos ter acertos e erros, sem torná-los fardos pesados ou troféus em nossas vidas. Nunca faça da sua liberdade um peso que não poderá carregar por muito tempo. Descubra sua melhor versão, mas com muita consciência.

Imagine uma pessoa que tem o perfil de mendigar opiniões, abrindo mão de ouvir sua voz interior e com total inépcia de tomar decisões. Essa pessoa é aquela que facilmente se enreda em "possíveis" respostas de terceiros, como gurus, adivinhos e mentores, diferentemente daquele que escuta, dialoga e reflete antes de tomar decisões. Você tem o poder de determinar sua realidade – ninguém mais. Ouvir um conselho é positivo, o problema é agir unicamente pela opinião dos outros. Use o seu livre-arbítrio e o seu poder de percepção. Treine escutar-se. A única pessoa que vai pagar seus boletos é você, eles não serão divididos com os palpiteiros. Aliás, o que você tem feito dos seus ultimamente? Você quer viver liberdades ilusórias ou buscar a liberdade real? Qual é sua verdadeira posição? É parte livre de um sistema ou está apenas envelopado nele?

QUARTO PILAR – PERSEVERANÇA

O indivíduo perseverante tem total consciência de que o esforço para atingir metas é diário. Não projete suas realizações para o futuro, não pense que lá na frente você poderá estar onde deseja sem a construção das suas metas agora. A melhor versão do hoje requer esforço, e reconstruir-se vai custar a você um bocado de suor. Sair de onde está para algum lugar melhor pode parecer simples, mas não é muito. Sem construção e movimento, o sonho se torna pesadelo! Acostume seu cérebro a estar preparado para as dificuldades que virão, independentemente da situação.

Se as dificuldades e as crises nos tornam mais fortes, por que evitamos os esforços? Toda compra traz junto faturas. Frequentemente, compramos ideias, projetos e sonhos e ficamos ligados na realização deles no futuro – mas, na hora de pagar a conta, procrastinamos e não perseveramos. A fatura é o esforço que seus endereços requerem e contém os obstáculos que você terá de enfrentar para chegar a seu destino. São os boletos que você terá de pagar invariavelmente no dia a dia. A perseverança é o grande alicerce desse caminho. Quem adquire consciência ao longo da estrada caminha com maior firmeza e estará mais apto a seguir em frente. Já a displicência não nos prepara para os percalços e pode fazer com que sejamos pegos de surpresa, tendo maior dificuldade para levantar após as quedas. Como já vimos, é essencial definir endereçamentos vitais, porém, eles vêm com os boletos mais caros e exigem amor pela trajetória até eles.

Amor pelo que se faz

Ouço muitas pessoas dizerem que só fazem aquilo que amam e que o segredo para dar certo e ser feliz é esse. Mas o que entendemos por fazer só o que se ama nos dias atuais? Será que isso é possível? Ter amor por algo não é apenas fazer aquilo que traz prazer ou aquilo com o que é possível se divertir ao produzir; pelo contrário, a chave está em se manter disposto a encarar o esforço diário com entusiasmo e perseverança. Eu, por exemplo, sempre senti prazer em cantar e fazer palestras. No entanto, nos bastidores dos palcos há inúmeras barreiras e desafios a serem sobrepujados a toda hora. Procuro superá-los e os encaro sem reclamações e lamentações. Não é o prazer de cantar e ministrar palestras que me motiva, mas é o amor pela música e pelo compartilhamento de vivências que me faz perseverar diante das dificuldades, que são diárias. Há jovens que escolhem uma profissão por enxergarem no exercício da função a oportunidade de fazer somente o que lhes dá prazer. Há um equívoco nisso, pois amar o que se faz não contempla apenas uma forma de lazer. Amamos verdadeiramente algo quando pagamos a fatura com um sorriso no rosto, entendendo a utilidade dos percalços. É ilusório atribuir o amor ao que se faz à sensação de prazer em tempo integral. Desempenhar funções com entusiasmo, intensidade, motivação e empenho não quer dizer ter júbilo e recompensa a todo momento.

Para ser protagonista do filme *Meu pé esquerdo* (1990), o ator britânico Daniel Day-Lewis não abdicou do esforço para atingir a veracidade na criação do personagem. A história, baseada em fatos reais, narra a vida do pintor irlandês Christy Brown (1932-1981), que movimentava apenas o pé esquerdo devido a uma paralisia cerebral ocorrida durante seu nascimento. No entanto, mesmo com a fala e os movimentos limitados, isso não o impedia de pensar. Nos sets de filmagem, Day-Lewis incorporava todos os trejeitos e dificuldades de Christy, e quando terminavam as gravações, ainda se mantinha imerso no personagem por horas, inclusive necessitando da ajuda de outras pessoas para se locomover. O esforço causou a Day-Lewis a quebra de duas costelas, porém a interpretação o consagrou com o Oscar de Melhor Ator em 1990. Uma fatura alta com uma meta alta atingida: a perfeição.

> O que disse o pensador? Nietzsche argumentava que "O sofrimento não é sinal de fracasso na tentativa de sermos a melhor versão de nós mesmos, mas parte necessária do processo de nos tornarmos quem queremos ser". A forma como você lida com o sofrimento é decisiva.

Não olhe só para o alto da montanha

Quanto mais conectado com seu endereço vital, mais natural será passar pelas barreiras. Por isso, não olhe só para o alto da montanha que você deseja escalar, olhe para onde está pisando. Isso propicia também que, caso um caminho não dê certo, você não desista e ainda disponha de energia para encontrar outra estrada que o reconecte com seu destino. Quando você só olha para o alto, enxergando o longo caminho que terá de percorrer e todos os obstáculos que terá de ultrapassar, vai criando links e atalhos que o desmotivam por estarem focados principalmente nas dificuldades. Sua mente tenderá naturalmente à desistência.

Quando em 1992, eu e meu irmão Victor decidimos seguir a carreira de cantores, se tivéssemos ficado presos ao tamanho da montanha à frente, observando só aonde queríamos chegar, não teríamos conseguido alcançar o pico dela. Teríamos desistido. O que fizemos foi construir tijolo por tijolo: ensaiar, cantar e perseverar diante de todas as adversidades, que não foram poucas. O mesmo aconteceu quando decidi seguir na área de palestras. Ouvi muitas vezes, de forma indireta, pessoas ligadas a esse tipo de evento comentarem: "Mas o que um cantor de música sertaneja tem a dizer para mim? Não vai valer a pena". Algumas vezes, subi ao palco e percebi a descrença da plateia, o que em muitas ocasiões me frustrava. Minha reação, no entanto, era sempre a mesma: horas e mais horas em frente ao espelho treinando, quando não estudando e praticando. Decidi não comprar ironias e preconceitos, mas pagar minhas faturas diárias. Perseverar. Seja teimoso, mas enderece sua teimosia para o aperfeiçoamento. Logo após me inserir no mercado de palestras, entendi que seria crucial escrever um livro, e confesso que durante um ano procrastinei a tarefa, possivelmente olhando o tempo todo para o topo da montanha a ser escalada. Até que um dia decidi colocar mãos à obra e escrevi as primeiras frases: resolvi fazer a escalada passo a passo. A palavra-chave que me impulsionou foi "atitude". Há pessoas que sabem o que querem, apontam o caminho, decidem o endereço mas não possuem a atitude de dar o primeiro passo nem a perseverança para concluir o plano, muitas vezes por ficarem medindo o tamanho da montanha, provocando medo e desânimo em si mesmas.

O ser humano tem hoje uma enorme tendência em querer alcançar tudo do modo mais rápido e fácil. Isso desencadeia uma série de fatores, entre os quais aqueles da própria fisiologia do corpo humano, que procura economizar energia acionando o "instinto de sobrevivência", entrando em estado de alerta para tudo aquilo que possa desgastá-lo. Outro fator é o meio no qual estamos inseridos. Muitos jovens hoje são imediatistas porque foram criados em um ambiente cercado pelos recursos tecnológicos que demandam e provêm respostas instantâneas. A internet hoje é um exemplo disso: as pessoas acessam o que querem, na hora que querem, de onde estiverem. Em um movimento repetitivo, você se acostuma a responder tudo muito rápido, muito fácil, entrando num círculo vicioso de ter de responder a tudo instantaneamente.

O hábito de olhar e perceber por onde pisa propicia a oportunidade para sempre dar o primeiro passo com segurança, mesmo que no início você não saiba para onde essa caminhada pode levá-lo. Colocar-se em movimento, por si só, muda a cena e já o estimula a seguir, mesmo que todas as portas aparentem estar fechadas. E ainda de nada adiantará que outros as abram para você se não houver o esforço de caminhar até elas. Tenha em mente que a única pessoa que pode criar oportunidades na sua vida é você mesmo. Essa convicção vai trazer confiança para que você decida seus passos, sem ficar dependente de condições externas. Quem espera a chuva para molhar a terra e poder plantar nunca vai aprender a regar – e perderá a chance da colheita.

Muitas vezes, para começar algo que determinamos ser conveniente em algum momento de nossa jornada, postergamos à espera de uma oportunidade que nos traga condições mais cômodas, confortáveis, e que nos exijam pouco esforço. Grandes conquistas requerem as maiores faturas e as montanhas mais íngremes, mas quando você chegar ao topo, apesar do cansaço, das quedas, das cicatrizes e do suor, perceberá que faria tudo novamente pela paixão aos frutos que colheu. Praticar diariamente direções para suas metas e perseverar são ações que estão profundamente interligadas. Avalie se de fato você ama o endereço e as direções que determinou no pilar anterior, e se está pagando a fatura justa diante disso.

Comportamento proativo

Comportar-se de forma proativa é um exercício que auxilia a ampliar seus resultados nas atividades cotidianas. É entregar a mais. E você vai se surpreender e não se contentar em apenas estar na média. Questione se você tem criado para si uma aura de proatividade ou de passividade. Você pode começar a treinar já a atitude proativa em suas atividades, pois ela é um dos fatores decisivos e delimitadores para que você atinja ou não os objetivos. Por exemplo, vá aumentando a quantidade e o esforço em seus treinos de esporte ou ginástica. Estude sempre um pouco a mais do que lhe é solicitado. Busque vender mais do que a meta. Pessoas que se comportam ativamente costumam perseverar em vencer cada obstáculo – e investem no itinerário dos seus endereços. De modo oposto, quem tem conduta passiva constantemente arca com juros e transforma suas faturas em bolas de neve, adiando responsabilidades, além de muitas vezes terceirizarem seus pagamentos.

Hoje em dia uma das características mais valorizadas é o comportamento proativo. Lembro-me que, no início de minha carreira como cantor, ao lado do meu irmão, éramos contratados para nos apresentar durante duas a três horas em bares. No entanto, ao longo do show, as pessoas que ali aproveitavam a noite, pediam que cantássemos mais do que o acertado. E nós sempre fazíamos no mínimo meia hora além do estabelecido.

Certamente esse comportamento foi fundamental no crescimento da nossa jornada musical. Hoje, em todos os trabalhos que faço, procuro manter essa consciência da importância de entregar a mais e surpreender o cliente.

Treinamento e disciplina

Para atingir o sucesso, o treinamento é tão importante quanto o talento. Para nos desenvolvermos, o treinamento é tão necessário quanto a vontade de crescimento. Para atingir metas, essa prática é tão fundamental quanto saber o caminho até elas. A mente pode ser tão treinada quanto o corpo, assim como a criatividade. Pratique diariamente o treino de criar sentido para as pequenas coisas à sua volta. Uma folha caída no chão, por exemplo, pode significar o sustento de um formigueiro ou de quem possui a função de limpar o local onde ela está. Ela também pode servir para que um passarinho construa seu ninho. O pássaro por sua vez tem igualmente sua função na Terra.

Quando ler uma frase, reflita sobre ela e pense sobre si mesmo. Anote suas ideias, sem medo de que elas pareçam não ter sentido para outras pessoas. Ao treinar seu cérebro com exercícios como esses, sua capacidade de observação e de autopercepção se tornam mais aguçadas, e você se torna mais criativo. A habilidade de improvisar diante dos imprevistos está diretamente ligada à criatividade. Quando você potencializa sua visão multiangular, como a da coruja, e treina enxergar as oportunidades em cada um dos ângulos, você automaticamente passa a ter mais opções e pode direcionar sua vida com maior facilidade e maior sabedoria.

A palavra "sabedoria" vem do latim *sapere*, que também é equivalente a "sentir gosto". A sabedoria tem a ver com o modo como você sente a vida. Seu paladar diante dos acontecimentos transforma a maneira como você saboreia o mundo ao redor, por isso, quanto mais diversificado e amplo ele for, mais recursos você terá à disposição. Perceba como você tem degustado sua vida – tem vivido com mais sabores amargos ou doces? A existência possui um cardápio infindável, mas apreciá-lo requer treinamento para identificar quais gostos estão sendo oferecidos. Treinar o paladar da sabedoria é construir seu conhecimento a partir das informações adquiridas. Um bom exercício para isso é praticar a escrita. Escrever sobre determinado assunto permite que você reflita e se coloque mais intensamente nele. Só conhecemos bem aquilo no que nos inserimos completamente e pensamos sobre. Escreva sobre você, sobre seus medos, sonhos, defeitos e qualidades. Escreva sobre suas angústias e alegrias, sobre seus traumas e desejos. Escreva sobre aquilo em que acredita e pelo que tem paixão. Transforme as informações em conhecimento, aplicando-as em seu dia a dia e, assim, experimentando mais sabores. Anote suas percepções, treine a partir delas.

Mesmo possuindo a plena consciência do que precisamos treinar para chegar aos nossos objetivos, nem sempre conseguimos nos manter praticando os exercícios necessários. Cair é normal durante a caminhada. E é um bom argumento para que você treine se levantar. Seja seu principal incentivador. Treine ir em frente, mas aceite os tombos. Treine iluminar-se, mas saiba lidar com as sombras. Treine para vencer, mas abrace seus fracassos.

Em conversa com o ex-jogador de tênis Gustavo Kuerten, ele me contou como adquiriu o *back hand* mais poderoso do mundo – mas não soube responder quantas vezes repetia o mesmo movimento por dia, pois eram incontáveis. O campeão treinava diariamente sua concentração e conexão. Se você passou pelos três pilares anteriores mas deixou de treiná-los, possivelmente apenas os conheceu, sem usufruir do melhor deles, que é inseri-los no seu comportamento diário e se transformar.

A constância em atividades que exigem mais esforço nos torna mais fortes. Assim como direcionar a disciplina para o mais difícil amplia nossa resiliência. A disciplina direcionada, aliada ao esforço, é essencial para que você alcance seus objetivos. Todos os atletas que foram considerados os melhores do mundo em seus esportes tiveram comportamento proativo e disciplina com foco em seus treinamentos diários. A exemplo disso, cito ainda meu amigo Oscar Schmidt, o exímio e campeão jogador de basquete. A "mão santa" de Oscar, na verdade, era uma mão treinada, como ele mesmo afirma. Todos os dias ele pagava a fatura, sendo o último a sair dos treinos, praticando inúmeras cestas. Cada minuto de glória lhe custou horas de esforço. Assim como Oscar, outros atletas que apresentam esse tipo de comportamento, tendo o esforço como parte do cardápio diariamente, tornam-se mais bem-sucedidos.

A atividade esportiva é um excelente recurso para que você adquira mais disciplina, pois demanda foco, proatividade, treino, esforço, e amplia seus limites, até mesmo a sua resiliência. Em determinado período da minha vida, decidi começar a treinar triatlo. Há muitos anos eu não nadava nem pedalava, apenas corria um pouco. Direcionei minha lanterna para essa atividade, coloquei foco, repeti, repeti, treinei, treinei e treinei. Mantive minha disciplina até conseguir readaptar meu corpo para tanto esforço. Confesso que, no início, como em qualquer outra atividade que requer força e empenho, pensei algumas vezes em desistir. Gosto da metáfora do muro para exemplificar atividades nesse contexto. Imagine-se escalando um muro bem alto e, quando chega na metade dele, seu corpo começa a pesar e suas mãos doem; você então olha para baixo e se autossabota, dizendo para si mesmo que não interessa subir mais – e desce. Eu havia decidido subir o muro do triatlo e esmoreci em alguns momentos; mas não desisti. Cheguei a conquistar índices de competições, o que me trouxe inúmeros benefícios na saúde e até mesmo na minha carreira. E você, na metade do muro, quando seu braço dói, pula ou continua a escalada? Disciplinar-se com direção é o mesmo que escalar até o fim. É importante se conscientizar de que os dias que nos exigem mais, como os de maior cansaço e os de frio ou chuva, são os que trazem as faturas mais altas. Se você os abraça, seu cofre se torna cada vez mais abundante; caso contrário, acumula juros altíssimos.

Pergunte-se com qual frequência aparece o "porquê" em suas ações. São eles atitudes automáticas ou condutas proativas necessárias para que você persevere? Tenha consciência sobre seus passos.

Acostumamo-nos a lidar com o tempo, usufruindo dele sem planejamento, e muitas vezes é apenas no fim do dia que percebemos que não fomos produtivos. Pensamos nas atividades diárias na medida em que elas aparecem, o que nos leva a procrastiná-las – a atitude nesses não foi preventiva, apenas corretiva. Aquilo que nos exige dedicação fica para trás, com a desculpa de que "não consigo fazer isso agora". E logo é adiado para amanhã porque "não dá tempo". Pare de usar o "não estou tendo tempo" e comece a usar o "preciso me planejar melhor". Nossa mente se acomoda com aquilo que é mais fácil e requer menos empenho cognitivo, mas os grandes resultados não são sinônimo de caminhadas fáceis! Desafie-se diariamente a ir mais longe e gerencie sua rotina, adapte-se a essa realidade e verá os resultados sempre acima do esperado. Planeje e otimize seu tempo para realizar o que realmente importa. Treine o cérebro para o mais difícil, enfrentando inclusive os obstáculos que você mesmo coloca para o crescimento! Inicie o dia sabendo que para alcançar o topo da copa de uma árvore é necessário passar pelos galhos mais difíceis!

Função e missão

Você possivelmente já esteve frente a colegas ou funcionários de empresa que não se acomodavam antes de cumprir tudo o que lhes era proposto. Essas pessoas enxergam a função como missão. Esse conceito vai contra a "síndrome do mas" – que bloqueia atitudes sempre visualizando nas circunstâncias um porém e parando habitualmente nas barreiras. No entanto, ao determinar que sua função é missão, você pode enxergar os problemas, contudo não desiste enquanto não alcança seu endereço.

Em alguns jogos de videogame é exigido que você complete missões para que possa passar de nível. Em jogos de tabuleiro, é necessário cumprir objetivos para avançar casas e vencer. Podemos absorver isso em nossas vidas. Ou seja, é necessário realizar missões em cada uma das fases de nossa vida para que possamos chegar a um nível mais elevado. Mesmo que agora você não esteja no trabalho de seus sonhos, a função atual é sua missão. Mesmo que a faculdade esteja desgastante, formar-se é a sua missão. Mesmo que a falta de ânimo o diga para ficar em casa, ir aos treinos é a sua missão. Mesmo que você esteja atarefado, cumprir os prazos é a sua missão. Mesmo que o trajeto tenha barreiras, chegar ao seu endereço é sua missão. Quando você treina isso no seu dia a dia, cria um ambiente automático de comportamento proativo e de superação das dificuldades. Essa atitude fortalece internamente os links da sua resistência e perseverança e faz com que você esteja disposto a pagar faturas altas com mais facilidade.

Mas, tenha em mente que suas missões não podem ultrapassar a linha do que é saudável. Motive-se em vez de se pressionar. Entenda-se em vez de se culpar. Perceba seus limites, aceite-os ativamente com resiliência e saiba que ultrapassá-los exige treino e tempo. Ter a consciência de que suas funções são missões é exercer da melhor forma sua perseverança diante daquilo a que você se dispõe, tendo atitude ativa diante dos boletos que lhe serão estabelecidos.

Atitude incondicional

A vida muitas vezes nos pega de surpresa. Ela chega, propõe e não pergunta se pode. Entretanto, ela aceita contrapropostas, apresenta os acontecimentos, mas não impõe reações diante deles; cabe mostrarmos resiliência, ou não. Todos os dias estamos suscetíveis a avanços e tropeços. Ambos fazem parte do cardápio. Ir em frente, independentemente do que a vida lhe oferece, é ter atitude incondicional. Se você atribui sua motivação somente a algum alvo específico, tornando-se refém dele, viverá em constante oscilação emocional e deixará de perceber e de alimentar sua jornada diante de alvos diferentes. Você possivelmente decidiu começar alguma atividade esportiva nova em algum momento da vida ou está nela agora. Se colocar condições climáticas como algo determinante para a prática, reveja sua atitude. O mesmo acontece com quem faz dietas, com quem decide adquirir o hábito de leitura ou com quem quer aprender a tocar um novo instrumento. Se você se acostumar a condicionar sua atitude à vontade ou ao ânimo do dia, possivelmente irá desistir da escalada do muro. A vida não propõe somente avanços e vitórias, é preciso enxergar a totalidade dela e estar disposto a encará-la, aproveitando-a com sabedoria. A existência é feita de dualidades, e sempre transitamos por elas. Dia e noite. Quente e frio. Bem e mal.

Sua atitude é mais estável e segura quando parte de dentro de você e não está simplesmente à mercê dos fatos exteriores. Estar conectado com você mesmo, com seus propósitos e com sua automotivação, emancipando-se das circunstâncias ao redor, é o que lhe faz caminhar. Essa atitude incondicional lhe permite ser neutro ao externo, favorecendo sua capacidade de determinar frequências emocionais mais saudáveis. É importante estar atento e saber observar o que está ao redor, contudo o melhor guia é seu motor de propulsão interna.

Na língua portuguesa, o futuro do pretérito é um tempo verbal que pode transmitir ideia temporal com sentido de futuro, porém com foco no passado. Podemos citar como exemplo de frase no futuro do pretérito: eu iria para a academia se não estivesse chovendo. Na língua inglesa, o equivalente a esse tempo verbal é chamado de *conditional* (condicional). Ou seja, depender do exterior é estar sempre no condicional, é procurar justificativas para ações que nos mantêm na poltrona do conforto. Dar o primeiro passo com uma atitude incondicional é fazer valer sua jornada.

> O que disse o pensador?
> Segundo Oscar Wilde: "Viver é a coisa mais rara do mundo. A maioria das pessoas apenas existe".

Você, leitor, tem pago diariamente as faturas de seus endereços ou está na atitude condicional, procrastinando à espera de oportunidades totalmente favoráveis? Você está fazendo valer a pena sua existência? Quando você apenas existe, se torna mais um número, amorfo. Ao contrário, quando você vive realmente, sua individualidade se expande.

A atitude incondicional o move para a frente, independentemente das circunstâncias. Entretanto, há momentos nos quais pisar no freio é a decisão mais sensata. Não podemos abraçar tudo, por isso também é preciso saber abrir mão quando se faz necessário.

Se você não estiver disposto a cair e lidar com as perdas, inclusive aquelas ocasionadas por suas escolhas, dificilmente irá progredir em suas revoluções e na busca de seus endereços. Lembre-se de que quando éramos crianças caíamos frequentemente durante o processo de aprender a andar. Nos tornamos mais confiantes em nossas decisões quando o medo das quedas não impede a caminhada.

Muitas pessoas acreditam possuir honra apenas quando há vitórias. No entanto, honrar as perdas é essencial. Pergunte a qualquer pugilista a importância de um nocaute para o crescimento. Quem aprende nas perdas e nas vitórias possui mais bagagem do que aqueles que somente conhecem o caminho do pódio.

Minha avó ensinou-me uma lição valiosa. Ela me fez perceber que a maioria das pessoas, dentre as quais eu mesmo estava incluído, sempre prefere as partes mais nobres do frango, como as coxas e o peito, e que o restante é tratado como sobras. Em cima dessas preferências, ela um dia ponderou que se eu aprendesse a comer os pés do frango, jamais ficaria sem um pedaço, mesmo que chegasse atrasado para o almoço ou jantar. Os pés sempre estariam disponíveis, pois eram considerados sobras por todos. Aprendi a gostar dos pés de frango! Aprendi uma atitude incondicional diante do que a vida me oferecia e me alimentei dela. Tenho plena consciência de que incondicionalmente a vida o colocará de frente para as sobras; portanto, é bom se acostumar com elas.

QUINTO PILAR – CONEXÃO

Estamos na era da informação, nossas mentes estão expostas continuamente a milhares de dados e mensagens e não temos o controle seletivo da absorção delas. Como já foi dito, nosso cérebro se torna cada vez mais um complexo desorganizado, à mercê dessas informações que promovem a aceleração e um tumulto nos nossos pensamentos. Quando prestamos atenção no que acontece à nossa volta e nos conectamos com quem, ou com o que nos relacionamos, tornamos o nosso presente construtivo; caso contrário, desperdiçamos tempo. Estar no automático é destruir o presente. Muitas vezes, ao perdermos a conexão com nosso momento imediato, quebramos o contrato com a nossa escolha consciente. Não parar para refletir e agir por impulso nos faz retroceder no caminho para nossos endereços, ou seja, para nossos propósitos.

A região cerebral do córtex pré-frontal tem entre suas várias funções a atenção e o foco. O córtex pré-frontal também nos permite ter concentração, inibir distrações, resistir a impulsos e não agir por instinto. Observe que desvios de foco podem ocorrer em qualquer atividade que requeira concentração, por exemplo durante leituras, estudos, palestras e aulas, quando você volta a atenção para outros eventos ou conversas paralelas durante a apresentação ou discussão de um assunto relevante. Quantas vezes você se distraiu utilizando o celular durante a apresentação de alguém que falava em público? Essas distrações impedem a maior absorção possível das informações, assim como a conexão e a interação com aquilo que está acontecendo – que podem lhe fazer falta posteriormente. É importante nesses momentos de desconexão um exercício: questione-se sobre qual é a ação principal – por que e para que você está naquele ambiente? Conecte-se imediatamente com sua resposta e procure não justificar seu desligamento com o fato de estarem acontecendo "n" coisas lá fora. Priorize sempre a ação principal. Se pensarmos de forma empática, colocando-nos no lugar de quem está ali explanando, disposto a transmitir seus conhecimentos, a desconexão pode ser uma atitude antiética. Quando você está inteiramente conectado com o presente, sua atenção e energia terão mais qualidade, incidindo também na sua performance durante a execução de tarefas, tornando-as mais produtivas e trazendo melhores resultados.

Para acessar novas direções saudáveis, é indispensável ter uma conexão eficiente. Quando você está com a mente no passado ou no futuro, seu presente é destruído, pois nesse momento, sua conexão com ele foi perdida. Podemos usar como analogia a condução de um veículo. Quando você está dirigindo um carro, precisa estar atento, pois se distrair vai expô-lo ao risco de acidentes. Seu foco é chegar ao destino final, porém olhar no retrovisor é importante para que você saiba se direcionar com mais segurança e não perder a conexão com a estrada. O mesmo ocorre quando você assume o volante da sua vida. O passado está disponível apenas como um apoio esporádico para que você consiga enxergar melhor o presente, buscando alicerçar o que acontece agora. Muitas vidas foram, e são ainda, ceifadas ou traumatizadas pela desconexão ao volante. Segundos em um celular podem ter desencadeado um contexto de distração capaz de transformar por completo uma trajetória. Beto, um conhecido meu, há muitos anos colecionava multas ao volante porque estava sempre no celular ou mexendo no som, desligado da ação principal – a direção. Ele tem consciência de que as multas são prejuízo financeiro e que a pressa é risco para sua vida e a dos outros. Em uma conversa, ele tomou consciência de que esse era um problema grave e a partir dali começou a treinar a automatização da conexão na direção do carro. Hoje ele fez dela um hábito e, por conta dessa mudança, pode também exercer a autoconexão em outros aspectos. Beto identificou essa mudança como uma revolução em sua vida.

Hoje as redes sociais são grandes antagonistas do presente construtivo. Elas agem inclusive como muros que afastam os pais dos filhos. A ausência de comunicação com os pais pode levar as crianças a desenvolver depressões, provocadas pela carência e pela falta de autoconfiança para aprimorar relações afetivas. Lembre-se que qualidade não é quantidade. Quantas amizades você deixou de construir por ter ficado no celular durante um jantar? Quantas pessoas interessantes passaram despercebidas nessas ocasiões? Frequentemente, em reuniões em empresas, há interrupções de alguns indivíduos desconectados por estarem ao celular, provocando nos demais participantes a perda do entusiasmo e do interesse.

Conexão e educação

Houve um tempo em que eu estava fisicamente mais presente com os meus filhos, no entanto, minha qualidade de relação com eles era muito baixa. Hoje não tenho tanto tempo quanto gostaria para estar com eles, mas aumentei o nível de qualidade da nossa relação por me aproximar mais emocionalmente deles nos últimos anos e manter uma conexão mais marcante. Divido com vocês um exercício de conexão que procuro praticar sempre com meus filhos: nos momentos de convivência, desligue o celular, principalmente durante as refeições, e estabeleça diálogos com sua prole; conte histórias do seu dia a dia, além de perguntar e se interessar sobre as deles. Abro parêntesis para mencionar boas atitudes de conexão entre pais e filhos: conversar sobre problemas, dividir angústias e colocar-se de forma honesta nas prosas fazem com que seja desenvolvido um diálogo íntimo e de maior confiança. Coloque-se na mesma esfera que seu filho em alguns momentos. Se, por exemplo, ele for ansioso, oriente-o, mas também brinque de ser ansioso às vezes, invertendo os papéis, mas sem zombaria para não ofendê-lo. Muitas vezes precisamos dividir limitações, assim como nos ver no espelho pelo outro. Torne mais leve os pesos. Certo dia ouvi a história de um pai, incomodado porque seu filho havia começado a usar brinco. A atitude do menino causava nele uma sensação de constrangimento. Aconselhado por um amigo, o pai então decidiu se aproximar do filho, colocando também um brinco. O garoto, surpreendido ao ver o pai usando o brinco, sentiu-se embaraçado frente aos amigos. Diante da situação, o pai questionou o filho sobre sua atitude, os dois conversaram, entendendo um a visão do outro e se colocando em sintonia de pensamento.

O acompanhamento, aliado à orientação, usando como ferramenta principal o questionamento para estabelecer limites, é o ideal para se conseguir uma conexão saudável entre pais e filhos. Posso dar um exemplo de uma experiência de vida que acompanhei. Conheci um jovem que veio de um quadro familiar no qual não havia conexão entre seus membros, cada um ficava no próprio mundo. Esse jovem acabou procurando nas drogas uma válvula de escape para a sua angústia e frustação e conseguiu sair desse mundo quando conviveu intensa e ativamente por três meses com uma família cuja conexão era plena.

A palavra "educar" tem sua origem no latim *educare*, que significa "fazer crescer". A educação pelo exemplo é uma das principais formas de educar. Quando

O que disse o pensador? Jung nos apresentou três tipos de educação: pelo exemplo (ocorre de modo inconsciente), coletiva (ocorre por meio de regras e métodos) e individual (ocorre de acordo com a especificidade de cada indivíduo).

você torna essa via incoerente, dizendo para seu filho fazer algo mas tendo ações contrárias ao que foi dito, está marcando negativamente a criança.

Não só pais ou professores precisam estar atentos a todas essas formas de educação comentadas anteriormente. Todos nós, em algum grau, emanamos e absorvemos aprendizados. Autoeducar-se, decidindo conscientemente quais ensinamentos reter e a quais comportamentos aderir, é essencial para construir um presente digno.

Reflita sobre a sua vida e responda às questões: "Você está educando seus filhos e se autoeducando de modo consciente, ou deixa tudo caminhar no automático?", "Tem desvios de foco em momentos importantes ou se concentra no momento presente?", "Hoje você irá ocupar seu tempo ou produzir?".

O desenvolvimento da tecnologia aumenta rapidamente a oferta de temperos ilusórios que mascaram nossa ociosidade. Televisões, computadores, videogames, *smartphones* e internet possuem cada vez mais recursos atrativos para a ocupação do nosso tempo, pois prendem a atenção por exigirem pouco esforço cognitivo. Lembro-me de que na infância, eu constantemente me preocupava em estar fazendo algo por sentir culpa em ficar desocupado, e então eu ia... assistir à televisão. Essa atividade gerava uma falsa sensação de estar sendo útil ao realizar alguma atividade, quando na verdade não estava produzindo nada, era apenas uma falsa impressão de ocupação para acalmar minha consciência – autossabotagem. Há uma grande diferença entre ocupar-se e de fato ser útil ao produzir. É exatamente o que acontece no caso de games e redes sociais. Na verdade, essa falsa conexão, sem endereço, pode ser uma fuga da realidade. Atividades produtivas movimentam sua mente e estimulam a criatividade, a ação. Produzir nos aproxima de nossos endereços.

Conexão produtiva

A habilidade de se conectar tem relevância também em outros âmbitos, como no profissional, principalmente na área de vendas. Quando se quer vender algo, a conexão plena é fundamental. Ao tentar vender um produto, qualquer que seja ele, conecte-se inteiramente com o comprador, entenda-o, ouça-o, questione-o, escute a história dele e só aí conte uma sua. O conhecer gera confiança – e esta gera conexão.

Existem dois tipos de conexão: a produtiva e a improdutiva. Pense nas suas escolhas: você tem usado mais a conexão produtiva? Ou a improdutiva?

O ato de pensar pode ser entendido como ação? A resposta é: depende. Conforme o tipo de pensamento que temos, podemos ser muito produtivos ao pensar. Contudo, infelizmente a mente humana tende a possuir mais links de memória traumáticos. Isso ocorre porque episódios negativos nos marcam com maior intensidade e frequentemente nossos pensamentos se alojam nesses links, mais do que nos arquivos positivos. Esses fatores fazem com que nossa mente sofra por antecipação e saia da conjuntura intrínseca do presente. Sofrer por antecipação é desperdiçar o tempo e também uma forma de conexão improdutiva. Por isso, treine sua mente para o pensamento produtivo. Grandes ideias, reflexões multiangulares e o autoconhecimento requerem a gerência dos pensamentos. No entanto, a maioria das pessoas pensa de forma uniangular e, assim, sucumbe diante dos problemas. Não abrir o leque do pensamento faz com que a criatividade se atrofie, e novamente caímos em comportamentos automatizados e atividades de ocupação ilusória. Conecte-se com você mesmo para produzir, tornando seu presente ainda mais criativo.

Já citamos a respiração como uma ferramenta essencial de autoconexão. Durante o dia, você pode reservar alguns momentos nos quais vai parar e respirar fundo e conscientemente por alguns minutos. Ler é também uma ponte para treinar conexão, pois trabalha a habilidade focal e potencializa a memorização. Caso você não tenha o hábito da leitura, aplicar os sete pilares da Habilidade Revolucionária pode ajudá-lo a estabelecer esse costume de forma progressiva e efetiva. Comece a praticar aos poucos, lendo alguns parágrafos antes de dormir, no ônibus ou nos intervalos entre suas atividades.

> O que disse o pensador?
> Para Nietzsche: "Ler é ouvir outros eus".

Não se agarre em seus êxitos do passado para dizer que aquilo é o que o determina. Redescubra o seu melhor constantemente. As mentes que se acomodam buscam álibis no passado e no futuro para sabotar o presente. Esses álibis falsificam o hoje, desconstruindo a necessidade do nosso cérebro de se programar para realizar ações no momento presente. Muitas vezes caímos na tentação de "dizer à nossa mente" que podemos relaxar porque na semana passada nos dedicamos muito e, portanto, podemos deixar para começar na próxima segunda-feira aquilo que ainda tem de ser feito. Com frequência agimos assim nos estudos, nas atividades físicas e até mesmo na busca por crescimento no campo profissional. A mente se vicia nesse modo de agir e o memoriza por meio dos links cerebrais, treinando nosso inconsciente para se apoiar no que fizemos no passado ou no que poderemos fazer no futuro, e não naquilo que podemos fazer agora. Criamos metas e nos estagnamos no meio do caminho porque constantemente retomamos esses links para justificar nossa zona de conforto ou situações de indolência.

Entenda que a vida não é constituída apenas do que você fez na semana passada ou no mês anterior, e muito menos do que irá fazer na semana que vem, no próximo mês ou na virada do ano. Largue a bandeira do ontem e a do amanhã e agarre a do hoje. Ter atitude é tornar sua conexão mais efetiva.

Poucos de nós têm autogestão organizacional e, por conta disso, deixamos no modo aleatório nossos comportamentos, sentimentos, emoções e atividades, perdendo de vista as razões que nos fariam sair da zona de conforto. Tocamos conforme o vento e dançamos conforme a banda. Nossa motivação é como uma planta que murcha rapidamente se não a alimentarmos constantemente.

Habilidade de raciocínio

A habilidade de raciocínio é uma ferramenta da razão que pode ser treinada. A conexão plena aqui é essencial e faz diferença. Eis um problema que nasce nas bases da educação e que faz com que os jovens não consigam pensar de forma multiangular, pois não temos mais disciplinas que os instiguem a treinar o raciocínio dinâmico e amplo. O ato de raciocinar exige o máximo de conexão, e, nos dias atuais, a falta dela é algo que está se tornando um problema sério. Salve o tempo em que disciplinas como sociologia e filosofia existiam na grade escolar e eram valorizadas! Quem sabe não possamos sonhar com a volta desse tempo? Nos dias de hoje tudo caminha para ser mais rápido e descartável. A conexão, a reflexão e o esforço cognitivo não são priorizados em boa parte dos setores que nos cercam. Essa configuração faz com que o cérebro busque sempre os atalhos, e isso pode custar muito caro ao nosso futuro. Um raciocínio rápido é conseguido com treino e muita conexão.

O custo surge inclusive nos âmbitos que parecem estar mais distantes do raciocínio lógico. Em qualquer setor comercial, o vendedor que tem um raciocínio mais rápido que os demais chega na frente no fim do mês – é aquele cara conectado, rápido e decidido. Na esfera do esporte e dos grandes atletas ocorre a mesma coisa. No futebol, atribuímos a escassez atual de grandes craques às crises, que propiciam a falta de motivação e de estrutura financeira. Mas, se um jovem não treina na escola o raciocínio rápido e multiangular desde a infância, quando adulto não fará diferença em campo, onde a pressão durante uma partida é bem maior. Dá saudade de muitos jogadores que foram craques no passado. Vejo as coisas mais mecanizadas e automatizadas atualmente, falta autonomia e capacidade de raciocínio. Será que o poder de concentração e conexão dos jogadores atuais está ativo? A habilidade de colocar foco no que se faz nessas horas conta, e muito, mas me parece que as redes sociais vêm se apoderando e confundindo o meio de campo. Tive a oportunidade de acompanhar assiduamente o futebol na minha infância, quando era apaixonado por esse esporte. Me lembro que os jogadores, quando pegavam a bola, demonstravam um raciocínio rápido e eficaz e parecia que já sabiam o que iam fazer com ela. Os jogadores atuais até têm habilidade física e preparo, porém, em termos de raciocínio rápido, ficam devendo, e essa qualidade está cada vez mais rara, embora ainda tenhamos grandes jogadores. Mas esse não é um problema apenas do futebol.

A era da informação ocupa o espaço da reflexão. Ela bombardeia o cérebro com milhares de conteúdos, não deixando espaço para o pensamento analítico, e esse problema se alastra até mesmo no mercado de trabalho, onde essa carência do refletir é imensa. Percebemos um *deficit* enorme no poder de compreensão e argumentação, pois temos hoje cada vez mais múltiplos equipamentos capazes de "pensar" e de "produzir" por nós. Mas, para onde caminharemos se nossa principal habilidade, o raciocínio, for deixada de lado em favor das facilidades da tecnologia? Como poderemos ter mais jovens com a habilidade de colocar foco no que faz e apresentar conexão eficiente? Onde estaremos se nossa capacidade de reflexão não for valorizada como um bem que nunca se esgota quando treinado adequadamente? Como será a próxima era para nossos filhos e netos se somente poucos, e considerados privilegiados, terão esse bem que não se compra?

Senso de finitude

Não se esconda atrás da sensação de que você é eterno. Ter a consciência de que somos seres finitos nos faz buscar nossa melhor versão no momento atual por meio da conexão plena. Perceba que raramente enxergamos a morte como algo que está próximo a nós. A finitude está longe de nossa reflexão, mas está perto do nosso ser.

O homem pode escolher entre a fuga para o esquecimento do ser, voltando-se para o cotidiano, e a superação da própria angústia, apropriando-se de seu poder de transcendência sobre os problemas do mundo e de si – reflexão baseada na primeira seção da obra *Ser e tempo*, de Martin Heidegger. Por mais que tentemos fugir, estaremos sempre em direção à morte e, inevitavelmente, nossa existência possui um tempo limite. O amanhã é incerto, por isso, ter uma conexão com o presente de forma construtiva nos permite viver de modo mais amplo, intenso e ativo. Valorizar momentos de simplicidade durante o dia, como observar a natureza ou se encontrar com alguém muito especial,

> O que disse o pensador?
> A angústia, segundo Heidegger, é o modo de existência que leva o homem a compreender, dentro da monotonia de sua vida cotidiana, que ele é um ser finito, e que é exatamente a partir dessa compreensão que ele pode encontrar sua totalidade como um ser-para-a-morte.

conversar com um amigo querido, nutre a alma, traz inspiração de vida. Amanhã pode não dar mais tempo. Conectar-se com a vida é também valorizar os momentos simples.

Utilize-se de seus sentidos de maneira mais eficaz. Perceba que há diferença, por exemplo, entre ouvir e escutar. Ouvir é ser capaz de perceber os sons; escutar é estar consciente, conectado e dar atenção ao que você está ouvindo. Da mesma forma, ver é ser capaz de perceber pela visão, mas olhar é observar atentamente, com entendimento. Escute mais, olhe mais, sinta mais! Amanhã talvez você não tenha a mesma chance.

Eu estava no Hospital do Câncer de Uberlândia quando me deparei com uma moça no setor de cuidados paliativos. O câncer que a atingia já estava em estado avançado – era um caso grave, que não mais lhe permitia sair do hospital. Ciente de própria situação, ela confessou que seu maior desejo era poder sentir o sol tocando sua pele ao ar livre. Quantos de nós têm essa chance diariamente e não conseguem contemplar, sentir, valorizar o sol? Ao contrário, a ideia de que somos infinitos nos coloca num sol escurecido, nos embota a capacidade de apreciar aquilo que nos é dado de graça. Estar no escuro é não conseguir olhar para o simples, para os detalhes da natureza, da vida, e para toda a beleza que ela nos oferece. Quem vive entre espinhos almeja as flores. Quem está mergulhado em lágrimas valoriza o sorriso. Quem vive na seca enxerga a beleza da chuva. Quem vive o desconforto da solidão sente o prazer dos abraços. Quem adoece anseia pela saúde. Quem sofre com escassez de alimento saboreia muito mais intensamente uma refeição. E quem tem o perfume das flores, a alegria dos sorrisos, a calmaria das chuvas brandas, o aconchego dos abraços, a plenitude da saúde e a saciedade das refeições, agradece por tudo isso?

A prática da gratidão

No dia a dia passamos por diversos ambientes. Porém, em quantos desses lugares estivemos por completo, percebendo e refletindo sobre o que está ocorrendo ao nosso redor e, principalmente, em nosso interior? Que nível de conexão estabelecemos com o ambiente em que estamos? Para trabalhar essa questão, proponho alguns exercícios diários: mais uma vez contemple a natureza e os detalhes à sua volta. Ao estar em um engarrafamento, por exemplo, em vez de alimentar energias negativas com reclamações que provocam estresse, observe as árvores, as pessoas caminhando, os pássaros, as nuvens, a infinidade de opções que a vida lhe oferece nessa ocasião. Quantos momentos raros você deixou passar sem perceber, simplesmente porque não estava conectado ao presente? Sua conexão com o momento atual pode ser treinada, e esses exercícios são pontes para isso.

Há uma metáfora que ilustra bem essa situação do estar presente no presente. Um jovem falou para seu mestre: "Mestre, me mostre a felicidade". O mestre olhou para o alto de uma montanha e disse ao discípulo: "Venha e me acompanhe até o topo – lá você encontrará sua realização". Os dois então começaram a subir a montanha. O jovem, com muito entusiasmo pelo que o esperava, caminhava rapidamente, já o mestre andava com paciência, contemplando tudo ao seu redor. Ao chegar ao cume, o mestre pegou uma pedra que estava no chão e a entregou para o discípulo dizendo: "Aqui está sua felicidade". O jovem não compreendeu e questionou: "Qual felicidade essa pedra me trará?". O mestre, calmamente, explicou: "A felicidade estava no caminho, no perfume das flores, nas águas que corriam, nos animais que nos cercaram, no sol que brilhava, em outras pedras como essa, e em tudo que realmente é belo. Você passou por tudo isso sem notar a formosura de cada detalhe. Sua pressa o fez deixar de lado a verdadeira felicidade. Agora que chegamos ao final do percurso, tanto faz onde eu disser que você encontrará a realização que deseja".

Existem dois tipos de gratidão: a de discurso e a de prática. A gratidão do discurso tende a ser espalhada na primeira esquina. Já a gratidão de prática é aquela em que você não somente contempla o que há ao seu redor, mas também exercita o agradecimento conscientemente e com constância. A prática do exercício da gratidão consciente abre portas para que você enxergue a felicidade no meio do caminho e para que saiba oferecer o altruísmo, a generosidade e a solidariedade em forma de ação. Procure perceber se, para as pessoas que sempre lhe estendem a mão, são prestativas e o socorrem, você retribui com boas atitudes, com generosidade. Ou será que você apenas se limita a agradecer? A ação, por menor que seja, tem muito mais força do que o "muito obrigado".

> O que disse o pensador? Fiódor Dostoiévski (1821-1881) apresentou o conceito de "amor ativo", ancorado no exemplo e na observação de Jesus. De acordo com o escritor russo: "O amor é um mestre, mas é preciso saber adquiri-lo, à custa de um trabalho penoso e prolongado, pois não é por um instante que se deve amar, mas até o fim".

O amor ativo faz parte da gratidão na prática, uma vez que você busca ir até o seu próximo e distribuir ações de benevolência.

Imagine que você convive com alguém que contribui para o crescimento em alguma área de sua vida, trazendo-lhe um benefício por longo tempo, mas que num momento de conflito deixa uma marca negativa. Nesse instante, a gratidão de discurso vai por água abaixo, pois apega-se ao episódio desfavorável e o sobrepõe ao restante. Quem é grato apenas no discurso aproveita-se dos mínimos ensejos para ampliar seu individualismo, não se permitindo enxergar os méritos de quem esteve ao seu lado nas caminhadas duras. Essa atitude pode culminar em uma situação de isolamento afetivo. Por outro lado, a gratidão na prática contempla o caminho por inteiro e mantém o agradecimento constante, mesmo que haja períodos nem sempre tão benéficos.

O valor da paz

A paz é a energia capaz de trazer leveza ao seu estado interno. Quando estamos leves, sem o peso do caos emocional, andamos com mais segurança e somos mais capazes de ousar frente aos desafios. Ter paz diante de qualquer situação tem um imenso valor, pois ela nos municia com um escudo perante os conflitos. A conexão com o presente tende a trazer paz, independentemente do que esteja à sua volta. O filme da vida não nos apresenta roteiro prévio. Ele acontece em dias de sol, mas também nos surpreende com a chuva, e os capítulos da história são construídos em estradas íngremes ou planas, sinuosas ou lineares, esburacadas ou lisas. Não é possível prever o cenário que encontraremos a cada passo, porém, podemos decidir de que forma nos prepararemos para as adversidades. Quando já na largada partimos munidos de negatividade, os obstáculos tornam-se sobrecargas que muitas vezes nos impedem de cruzar a linha de chegada de nossos objetivos. Por outro lado, colocar a paz no roteiro é andar com a determinação de quem possui acesa uma luz interior. Priorizar a paz é sinônimo de sabedoria!

O poder de dar sentido a qualquer situação está no seu estado interno. Busque a conexão constante com seus sentimentos, emoções e pensamentos que influenciam diretamente no modo como você percebe e reage aos acontecimentos. A energia da paz é a mais benigna de todas – e é o preenchimento ideal para a nossa alma. Para encontrar a plenitude da paz de espírito, comece revendo aquilo que lhe tira a calma emocional. Faça uma lista de tudo o que lhe traz tempestades, seja em situações de estresse ou em atitudes advindas de pessoas próximas. Junto a isso, anote a razão de sua paz ser assaltada por esses acontecimentos. Perceba que muitas das circunstâncias que provocam estresse ocorrem em cenários que não podem ser retirados do cotidiano. Nesses momentos, a neutralização de emoções pode ser usada como recurso para blindá-lo. Com isso, é ainda mais possível e necessário preservar a harmonia dentro de você! O desgaste mental, emocional e físico em contextos que lhe roubam a paz é enorme. Portanto, não se tornar refém do que acontece à sua volta é o melhor caminho para encontrar a própria paz. A chave dessa estrada é somente sua, e ninguém poderá roubá-la. Saiba bem como manusear esse espaço.

Uma senhora de 102 anos com quem me encontrei certa vez me ensinou uma lição valiosa sobre a paz. Ela se mostrava ativa e plena, com total entusiasmo e disposição para a vida e frequentemente regava suas plantas, que conhecia pelos nomes, valorizando-as.

Observando suas atitudes e seu semblante calmo, perguntei a ela qual era o segredo para se manter assim, mesmo diante de tantos capítulos turbulentos no livro da sua vida. Por um momento ela refletiu, e então me respondeu sabiamente: "O segredo é buscar sempre a paz". Certo de que estar entre suas plantas era a maior experiência de paz com a qual ela contava, concluí: "Por isso que a senhora sempre rega suas plantas". Ela me olhou de forma afetuosa e, sorrindo, afirmou: "Não, meu querido, ali não preciso procurar a paz, mas sim diante dos labirintos – e na nossa alma sempre estará o melhor mapa".

SEXTO PILAR – GESTÃO

Conseguimos gerir contas bancárias, equipes, empresas, fábricas; contudo, dificilmente fazemos a gestão do nosso "eu". Muitas vezes nos arrependemos de nossas reações e palavras, porque não temos autocontrole diante dos imprevistos e daquilo que nos surpreende. Também frequentemente nos decepcionamos com pessoas de nossa convivência pelo simples motivo de não conseguirmos administrar nossa relação com elas. Um excelente profissional poderá se tornar péssimo se não for bem administrado. Mediante acontecimentos do dia a dia, temos ideias, tiramos conclusões, observamos situações importantes... Todavia, essas informações se tornam folhas ao vento se não forem arquivadas e guardadas. Nossa memória não tem o poder de armazenar tudo. E adquirir a disciplina e a autogestão organizacional será fundamental para processar tantas informações. Essa é uma ferramenta que não evolui se não for bem treinada pois, como já foi dito, nosso cérebro aprende por repetição, sendo preciso automatizar comportamentos.

Se você chegou ao sexto pilar e continua praticando a H.R., significa que agora está cada vez mais próximo de adquirir autodiligência. Não é possível ter controle sobre tudo, mas, sob a ótica do seu posicionamento perante o que acontece e diante das pessoas, você deve ter percebido um avanço enorme. A conexão lhe propicia encontrar sua melhor versão do presente; a percepção permite enxergar suas limitações e seus comportamentos em todos os setores da vida mais facilmente; a aceitação lhe dá a oportunidade de enfrentar seus monstros e dominá-los; ter direções faz com que você construa sua rota conforme seus reais propósitos de vida; a perseverança faz com que você abrace diariamente o esforço necessário para continuar no caminho de seus objetivos, superando os obstáculos e, assim, se aproximando dos endereços vitais; a autogestão lhe oferece constantemente melhor estrutura nas relações e condições organizacionais, além de autonomia para executar as mudanças e torná-las efetivas.

> O que disse o pensador? Para Nietzsche: "Está em suas mãos fazer com que tudo o que viveu – tentativas, falsos começos, equívocos, ilusões, paixões, seu amor e sua esperança – reduza-se inteiramente a seu objetivo: tornar-se si mesmo".

Quando você possui os pilares da Habilidade Revolucionária bem treinados, torna-se mais livre, desfazendo-se das algemas mentais. Essa liberdade favorece o seu domínio interno, gerando mais coerência entre aquilo que você pensa, o que fala, o que sente e o que executa. Faça uma avaliação sobre o quanto você já percorreu na H.R.: você ainda julga muito as pessoas? Ainda perde para seus monstros interiores? Ainda nutre sentimentos como ciúmes e inveja? Ainda se sente pior ou excessivamente melhor do que os outros? Ainda acha que não é capaz de praticar algo? Ainda se sente frágil perante as dificuldades do dia a dia? Ainda se vê refém das condições externas? Ainda cai facilmente nas armadilhas dos relacionamentos conflitantes? As respostas para esses questionamentos são indicadores importantes que propiciam o entendimento sobre o quanto você absorveu e aplicou todos os pilares até aqui.

Este pilar vai se dividir em autogestão; senso liberal e senso pragmático; autogestão organizacional; autodiligência; autogestão motivacional; o dia de hoje; e gestão interpessoal.

Autogestão

Possivelmente você atribui o termo "gestão" à esfera empresarial ou do empreendedorismo. Porém, aqui, vamos falar da gestão sob vários ângulos, começando pela autogestão – que é o mesmo que entender-se como algo que precisa ser administrado, gerido e precisa de um líder. É importante entender que educação é algo que não se restringe ao período de escola ou faculdade; educação é como respirar, independente de idade, e é importante que seja constante. A autoeducação contribui, e muito, para sua própria realização e crescimento.

Durante anos acreditei que apenas minha memória poderia ser suficiente para que eu, diante das informações e percepções, adquirisse condições de seguir num crescente de aprendizados em minha vida. Olho para trás e vejo quantas ideias interessantes, percepções e reflexões geniais deixei escapar. Certamente daria para construir alguns livros caso eu tivesse arquivado tudo em algum lugar. Salvo alguns pouquíssimos conteúdos, a maioria dos pensamentos que passam a toda hora pela nossa mente não serão guardados em nossa memória. São como hóspedes em hotéis: habitam, marcam presença, muitas vezes encantam e, quando você menos espera, simplesmente partem. Nesse caso, quem paga a conta da diária é você mesmo, e, pode ter plena certeza, ela é alta. Hoje, criei o hábito diário de parar e anotar tudo o que me vem à cabeça e que julgo importante, principalmente minhas percepções comportamentais e reflexões. Com esse recurso treinado e tornado hábito, prepare-se para se tornar sua própria bússola. Vamos começar com um exercício de introspecção: reflita se você consegue ter suas atividades em dia, seus endereços interiorizados, suas ideias memorizadas e a execução delas praticadas. A autogestão lhe traz constantemente a oportunidade de pesquisar, determinar e executar.

Senso liberal e senso pragmático

A diferença entre perfeição e sabedoria é que a primeira não admite erros e a segunda utiliza os erros para proporcionar reflexão e novas escolhas. Um bom líder de si mesmo desenvolve a sabedoria. Se você realmente está conectado com a autogestão, já se tornou capaz de gerir seu dia a dia pessoal e profissional, identificando e corrigindo o que o bloqueia, determinando metas de ação e sabendo o que fazer diante dos imprevistos.

A autogestão fornece ferramentas mentais para que você se mantenha seguro nas direções de seus endereços. É importante, nesse momento, saber que existem dois critérios fundamentais para que você gerencie sua jornada. O primeiro é o senso liberal, em que você pensa sempre com otimismo e positividade com relação a metas e objetivos. Esse recurso, se bem treinado e administrado – e utilizado nos momentos adequados –, estimula o entusiasmo e o foco positivo em seus avanços e suas habilidades, permitindo que você visualize o lado bom de tudo. Contudo, se mal gerido e usado em excesso, pode trazer sérios prejuízos, inclusive no âmbito financeiro. Me refiro aqui a um contexto em que a pessoa ultrapassa os limites do senso liberal e do otimismo e passa a enxergar tudo somente pelo lado positivo. O outro critério é o uso do senso pragmático, que é quando você se observa atentamente, critica e corrige o que não está seguindo de forma prática e apropriada. Durante sua caminhada, este último permite identificar indicadores negativos e, a partir daí, eliminar atitudes e comportamentos que não estão alinhados com seus endereços. Cada um desses pontos possui seu momento. Não podemos avançar utilizando somente aspectos negativos; o senso liberal entra para nos dar o entusiasmo e a leveza necessários, fazendo contraponto e trazendo equilíbrio. O senso pragmático pode e precisa ser treinado ao longo da jornada, certamente trazendo excelentes resultados, quando equilibrado.

Quantas pessoas atingiram a prosperidade financeira e pouco tempo depois perderam tudo? Não basta alcançar seus endereços, a partir de agora é preciso que você se transforme em um gestor de si mesmo. É como se você estivesse se reeducando constantemente. As pessoas mais próximas a você serão as mais difíceis de se relacionar, e a pessoa mais próxima a você é você mesmo!

Durante muitos anos eu tinha um comportamento forte de autodefesa, fugindo constantemente de meus monstros internos, das dificuldades, fazendo uso de um altíssimo senso liberal. Como se eu buscasse sempre justificativas para aquilo que eu não conseguia fazer – era um atalho, a fuga para não enfrentar o espelho. Esse meu comportamento me deixava em um movimento de ida e volta sem destino alcançado; era como andar em círculo. Todas as coisas para mim estavam bem e em seus devidos lugares, tipo "tá valendo tudo". Muitas vezes eu vinculava o senso pragmático à culpa e à insegurança, evitando me encarar de frente. Em várias ocasiões eu temia, dentro de minha timidez, falar em público, pois meu complexo de inferioridade me assombrava. Se tivesse três ou quatro pessoas ao meu redor, ou até mesmo em reuniões de negócios, o coração acelerava e eu escolhia me calar como fuga. Hoje falo em palestras para multidões e o problema foi resolvido. Mas o primeiro passo foi me agarrar ao meu senso pragmático e perceber de forma prática e objetiva o medo de rejeição, o complexo de inferioridade, a expectativa e ansiedade de agradar, criados por mim mesmo. Quando identifiquei e aceitei, dei o primeiro passo para me transformar.

Relembrando: você só consegue derrotar os monstros depois de conhecê-los! Fugir deles é deixar que o abatam, pois não há como identificá-los. Você conhece seus monstros quando os aceita! A autoaceitação ativa ocorre quando você decide enfrentar-se diariamente – e o crescimento passa então a ser constante! A autopercepção leva ao equilíbrio do uso do senso pragmático e do senso liberal: o resultado é o autoconhecimento! Nunca se esqueça de que você é sempre o ponto de partida para tudo!

> O que disse o pensador?
> O poeta português Fernando Pessoa (1888-1935) afirmava que: "O governo do mundo começa pelo governo de nós mesmos".

Autogestão organizacional

Todo grande líder tem como uma das principais características a organização. Se você possui dificuldades para gerir o dia a dia, organizar suas tarefas a longo prazo e fazer a manutenção de suas metas, saiba que existem ferramentas simples que podem auxiliá-lo. Atualmente, a multifuncionalidade do celular permite que você faça dele um ótimo amigo e seu mais amplo recurso de gestão. Tenha nele um resumo de seu endereço mestre e das suas direções a serem tomadas até ele. Na primeira hora do dia, leia esse resumo. Ao longo do dia, anote suas autopercepções e novos endereços. Antes de dormir, confira se você conseguiu pagar a fatura do seu dia e qual será paga amanhã para que você avance naquilo que tem como propósito. Defina tudo o que tem de ser feito no dia seguinte. Planeje seus dias, mas tenha cuidado para não se sobrecarregar com metas, tornando-se neurótico para alcançar todas de uma única vez, ou mesmo frustrado por não atingi-las. Dosando suas metas diárias e gerindo-as, você alimenta e fortalece as ações que o direcionam para seus endereços.

A observação de acontecimentos e atitudes ao seu redor e o hábito de anotar percepções diárias, sentimentos e ímãs de seus endereços, alavancam suas revoluções. Quanto mais você organiza a mente, mais fácil será encontrar os recursos necessários em seus campos de dados. E como nem sempre conseguimos acessar esses campos com rapidez e precisão, as anotações são formas mais diretas para se chegar aos recursos de que dispomos.

Com relação às palestras que ministro, houve um tempo em que a comunicação não era eficiente por vários motivos – e eu tinha plena consciência disso. No início eu falava muito e não conseguia me conectar com a plateia. Decidi treinar todos os dias, em frente ao espelho, minhas habilidades de comunicação, como expressão corporal, objetividade na fala e tonalidade vocal. A partir daí fui me lapidando na credibilidade ao passar mensagens, adquirindo a eficácia comunicativa. A decisão tomada foi muito importante, mas a forma como eu a conduzi fez a diferença. Com a consciência adquirida da importância da autogestão organizacional, anotei no meu celular como uma prioridade o treinamento diário de comunicação e todas as minhas conclusões e percepções direcionadas para o meu aprimoramento. Lia e relia todos os dias essas informações. A primeira ação do dia era acessar minha bússola interna no celular e executar aquilo que eu tinha como mais importante.

Outra situação foi a minha relação com a leitura. Durante muito tempo, eu tive dificuldade em criar o hábito de leitura, embora soubesse que era uma prioridade. Começava e parava continuamente, mas a autogestão organizacional foi o divisor de águas. Com ela, o ímã que me puxava para a leitura era fortalecido diariamente, pois eu alimentava esse ambiente interno.

Quando você desenvolve a prática da autogestão organizacional, passa a andar com uma bússola mental constantemente. A ativação dessa ferramenta faz com que você evite atalhos e seja capaz de redirecionar-se para seus endereços, ainda que encontrando imprevistos. Quando você definiu seus endereços, é provável que o trajeto estivesse nítido em sua mente, no entanto, ao longo da jornada ele pode se tornar um labirinto. Com o domínio da autogestão organizacional, você pode até estar no labirinto, mas terá uma ferramenta preciosa para sair dele.

A autogestão organizacional pode ser uma estratégia preventiva para quando você for definir endereços e planejar direções. Escrever as motivações para chegar a um novo endereço, mapear o caminho e os obstáculos, pesquisar os trajetos possíveis, desenhar suas rotas e elaborar cronogramas são formas visíveis de planejamento que o ajudam a prevenir desvios.

Para obter uma situação saudável no âmbito financeiro, por exemplo, o mais importante não é ganhar muito dinheiro, mas sim administrar bem seus ganhos. Isso envolve ter uma mentalidade de reeducação financeira sustentável, que o prepare para os imprevistos. Nesse caso, ter conhecimentos sobre finanças antes de investir para aumentar seus rendimentos é essencial. O atual modelo escolar ensina matemática, entretanto não a projeta para a educação financeira, o que gera nesse campo um *deficit* em grande parte da sociedade. Além disso, a cultura capitalista deturpada favorece hoje esse problema de gestão econômica. Por isso, exercite sua autogestão organizacional também em seu cenário financeiro, bem como nos demais, e tenha em mente que nunca é tarde para se reeducar em qualquer esfera.

Autodiligência

A era da informação consome muito do que sua mente cria hoje, como ideias, *insights*, pressentimentos e intuições. No sistema em que vivemos, a quantidade de compromissos e atribuições que temos também dispersa nossa capacidade criativa. Há ainda maus hábitos que nem imaginamos o quanto nos prejudicam mentalmente e que nos tiram do controle. Eu só me tornei escritor por adquirir também mais controle cognitivo e intuitivo. Se lá atrás eu não tivesse aderido à mudança de vários maus hábitos, não teria conseguido.

A autodiligência é o cuidado e o controle perenes com você mesmo! É estar em plena conexão consigo e ter máxima consciência sobre escolhas. O consumo de álcool excessivo, as drogas e outros vícios que provocam alterações no sistema nervoso contribuem para o embaraço mental e roubam a capacidade de autodiligência. Entre os outros vícios, o principal atualmente é o celular. Parece incongruente com a sugestão de usá-lo como meio para se autogerir. No entanto, o bombardeio de informações dispensáveis diárias é assustador. Imagino o que deve acontecer em nosso campo de dados de memória – certamente um extermínio de coisas importantes. Com o vício de consultar tudo o que "pisca" no celular, você passa a ter menos autocontrole e menos habilidade intuitiva. Seu foco se dissolve em meio ao redemoinho de informações. De aliado, o celular se torna inimigo pelo mau uso. Sua autopercepção e discernimento ficam bastante abalados, levando para baixo sua autodiligência, bem como sua capacidade criativa.

Essas práticas exigem muita conexão e constância, assim como todos os demais pilares da Habilidade Revolucionária. Por isso, é fundamental que você anote e trabalhe esses aspectos, para treinar cada vez mais sua autodiligência. Você dispõe aqui da informação, no entanto o conhecimento só é efetivado quando você o aplica em sua vida. Naturalmente sua habilidade intuitiva se tornará cada vez mais potente. Ler diariamente pode contribuir muito e de forma bastante positiva. Se nos pilares anteriores você não criou o hábito de ler, essa é a hora. Quando você adquire informações, favorecendo sua versatilidade e a capacidade de transformá-las em conhecimento, há um grande avanço em seu desenvolvimento comportamental. Uma outra atividade que aproxima e potencializa sua autodiligência é a meditação. E como é importante e impactante o hábito de meditar diariamente! Não importa o tempo, muitas vezes minutos antes de uma reunião ou compromissos podem fazer toda a diferença. Ser versátil é investir em você, fazendo do seu tempo a oportunidade para o novo.

Para criar o hábito da meditação, a autogestão organizacional me ajudou muito no início. Mas fique atento, não crie dependência desse tipo de recurso; tudo na medida certa funciona, mas se extrapolamos, podemos sofrer um efeito contrário, negativo. É bom ter em mente que a automatização nos ajuda em vários processos, mas é extremamente saudável o ser humano ser capaz de reconhecer novos caminhos constantemente e usar a sua criatividade para trilhá-los. A autodiligência jamais irá colocá-lo na poltrona de total controle de tudo – é importante não confundir esses cenários. Com ela fortalecida, as coisas podem até sair do controle, mas você irá permanecer no caminho e sua autoconexão se vai se tornar cada vez mais eficiente.

Autogestão motivacional

Convido você a conhecer uma das ferramentas mais poderosas da H.R. Ela pode levá-lo à frequência do entusiasmo constante e trazer muita independência emocional. Esse recurso é capaz de varrer obstáculos, fadiga ou o desânimo que você possa encontrar pela frente. Talvez agora isso não lhe pareça possível, entretanto, ao entender o poder da sua mente para formar condições eletromagnéticas saudáveis, você verá do quanto é capaz. Não afirmo isso por suposições; pelo contrário, essa é uma ferramenta que pratiquei ao longo dos últimos anos. Há estudos e pesquisas científicas relacionadas a esses conceitos.

Dar direções para a mente é essencial. Sem elas, seu cérebro é mais suscetível às distrações e pressões externas. Tudo aquilo que você pensa e fala gera energia, e isso está relacionado à física quântica e à formação magnética da sua aura. Quantos não foram os dias em que você se encontrou em um caos interno, mesmo que tudo estivesse em paz em todos os âmbitos da sua vida? Saiba que o contrário também pode acontecer: mesmo que ao seu redor tudo esteja em desordem, um verdadeiro incêndio, seu interior está apto a aceitar a frequência que você determinar. Tenha certeza, você é o maestro da sua aura. Ninguém mais além de você poderá pegar essa batuta, salvo quando você a transferir. Diante de qualquer situação externa, tudo pode estar diferente em seu interior, pois você não precisa estar à mercê do que o rodeia. Praticando a autogestão motivacional, há a oportunidade e a autonomia para a criação de um ambiente interno que o traga para a frequência conveniente.

Vamos tomar a liberdade de chamar o recurso de mudar a frequência de "automutação". Como seria sua vida se, a cada vez em que você se sentisse desanimado, pudesse gerenciar os pensamentos, transformando sua aura para estar como você deseja? Sim, isso é possível e esse é um processo de automutação de seu estado interior. Por exemplo, imagine o estado mental de um jogador de basquete numa final de campeonato em que alguém do time esteja passando por problemas de ordem pessoal. Isso certamente poderá levar à queda de rendimento da equipe. Mas se trata da final, último jogo, é ganhar ou ganhar. Como você acha que esses grandes campeões alteram sua frequência mental nesse momento? Certamente eles fazem uso do poder interno que todos nós temos. Para tanto, existe uma técnica, que pode e precisa ser treinada. A ferramenta principal para atingir a frequência que você deseja é a retroalimentação de pensamentos, por exemplo, repetindo e alimentando a frequência do entusiasmo, do ânimo e da autoconfiança. Do mesmo modo que você projeta sua mente para alcançar objetivos externos, seu cérebro é capaz de se automutacionar para assumir a frequência que você determinar internamente.

A retroalimentação é, portanto, a capacidade de informar a sua mente que um pensamento gerado de forma automática por ela pode não estar de acordo com o que você necessita. Nesse momento, você transmite ao cérebro os pensamentos que melhor lhe servem em cada situação. A retroalimentação pode ocorrer em sentido positivo ou negativo. Na forma positiva, você adere à automutação motivacional. Já na maneira negativa, você a repele, pois é quando são gerados pensamentos destruidores.

> O que disse o pensador? Nietzsche afirmava: "Não se perece jamais por obra de outro alguém, apenas de si mesmo".

Na vida existem obstáculos altos e baixos, mas ultrapassá-los é questão de treino. Nesse instante é preciso que você comece a se automotivar por meio dos pensamentos. Quando estiver com angústia, ansiedade ou com qualquer outro estado emocional indesejado, faça um exercício: repita mentalmente frases que o aproximem do estado que você deseja estar a partir daquele momento, tais como: "Eu posso entrar em uma frequência mais animada", "Estou e vou ficar mais disposto", "Eu sou capaz de ficar alegre", "Eu não preciso desta frequência negativa". Na aceitação, porém, eu aceito, mas não sou refém: posso assumir o controle – "Eu tenho motivos para agradecer sempre". Quando você aceita, se sente mais leve e elimina a tensão da fuga e rejeição. Naturalmente, sua mente começa a processar o que você busca.

Agora mesmo, pare por alguns minutos. Feche os olhos, respire fundo e esvazie sua mente. Alimente então sua aura com pensamentos positivos, diga a si mesmo: "Eu posso, eu tenho, eu sou, eu vou, eu estou". Complete as frases convergindo com a frequência que você determinar, seja entusiasmo, alegria, disposição, bom humor ou o que melhor lhe convier. Procure sentir internamente o fortalecimento dessa frequência. Quando você repete frases, seu cérebro acessa no campo de dados sensações semelhantes àquelas que você sentia no momento em que vivia sob o efeito de frequências desejadas. Relembre situações em que você se encontrava no mesmo estado emocional emanado pelas frases repetidas. É como se fosse um código. Com as lembranças dos links mentais, os neurotransmissores (como dopamina e endorfina) emitem para o sistema endócrino sensações de bem-estar e prazer. Ainda que as circunstâncias estejam na direção contrária desses estímulos, o corpo, mesmo assim, possui o instinto de autodefesa, o que facilita a automutação e o torna capaz de acessar essas sensações. O mesmo ocorre no sentido contrário: refaça o exercício proposto anteriormente, mas relembrando agora situações em que você emanou pensamentos negativos com relação a você e suas metas. Você perceberá que sua aura adquiriu nessas ocasiões uma frequência mais abatida. É você quem está no volante e determina as direções de seu estado interno!

> O que disse o pensador?
> Henri Bergson afirmava que: "A vida psicológica não é nem unidade nem multiplicidade; ela transcende tanto o mecânico quanto o inteligente".

Podemos administrar sentimentos por meio da automotivação, pois a intensidade do que sentimos é flexível. Isso não significa que você não terá quedas, erros, decepções e imprevistos, porém, poderá ser capaz de gerenciar a si próprio diante dos problemas.

Colocamos nossa felicidade em momentos determinados, ou seja, projetamos estar felizes somente no lazer, na folga ou naquilo que gostamos de fazer, e atribuímos aos demais momentos um peso negativo, que suga nossa eficácia e produz um ambiente mental pessimista. Todo profissional que projeta sua felicidade e sua satisfação no mais fácil tende a não saber lidar com o difícil e com o incômodo. Quem espera pelas férias para ser feliz passará o restante do ano reclamando e, consequentemente, carregando fardos mais pesados em sua aura. E os pesos não são definidos pelos episódios mas, sim, pela própria mente. Nosso pensamento é chave desse imaginário construído automaticamente. Perceber que nossa mente pode abrir e fechar esses cômodos nocivos é deixar de ser escravo deles, desfazendo-se das piores algemas que podem nos encarcerar. A capacidade de automotivação que possuímos para implantar em nós mesmos, em qualquer ambiente, uma determinada digital que nos é conveniente é enorme, entretanto pouco utilizada. Na sociedade, um exemplo que cabe nesse tipo de processo interno é o dos professores que, muitas vezes, precisam entrar em sala de aula numa frequência positiva, estimuladora e motivadora diante dos seus alunos, enquanto podem estar vivendo, em outros âmbitos da vida, sérios conflitos internos. O profissional que consegue administrar essa situação internamente conhece a chave dos pensamentos que interferem em suas frequências.

Baixa autoestima e insegurança podem ser consequências de se estar preso nesses cômodos malignos, onde passamos a nos ver e rotular de modo negativo. O pensamento, quando não gerenciado, ancora facilmente nesses bancos de dados da memória, que carregam fortes marcas negativas. É imprescindível treinar seu cérebro para que você saiba acessar seus pensamentos e consiga virar a chave que alforria sua mente. A disciplina é um recurso que auxilia na desconstrução desse imaginário derrotista. Quanto mais alto seus muros, mais fundo os buracos e maiores os obstáculos, maior é a chance de você se sabotar sem que perceba. Se autossabotar é enganar-se com justificativas que o levam de volta à poltrona do conforto.

A automotivação vem de dentro, como algo que você tem de nutrir e, assim como todo o seu desenvolvimento de gestão, requer dedicação e tempo. Esse processo lhe dá uma capacidade revolucionária constante, o que não remete à perda de seus valores e sua essência, muito menos sugere que você use máscaras. Sua essência é o solo, o que a Habilidade Revolucionária propõe aqui é que você defina seu estado interno de acordo com o que necessita. É como se você pudesse reflorestar seu solo caso ele se encontrasse cansado e seco. Não é possível mudar a essência, mas é viável transformar a maneira de administrá-la.

Quando estiver angustiado ou deprimido, experimente trabalhar sua mente! Conecte o pensamento com a frequência altruísta, e manifeste sua intenção, com gestos, palavras e pensamentos, a quem estiver ao redor. Agir desse modo não significa negar sentimentos como angústia, tristeza, ansiedade e desânimo. Longe disso! É fundamental, como já citei algumas vezes neste livro, aceitá-los ativamente para ter o domínio sobre eles. A rejeição, em muitos casos, intensifica os sentimentos e é a partir disso que se comprova ainda mais a importância da aceitação. Porém, você já viu que aceitar não significa conformar-se. A aceitação caminha junto à humildade de você entender que é um aprendiz da vida. E a humildade ativa permite que você compreenda que cair é normal, mas que isso também lhe provém disposição para estar sempre em busca dos aprendizados que o fazem levantar mais rapidamente.

Procure observar sua aura e o astral à sua volta quando você pratica a humildade ativa, dispondo-se a aprender e a compartilhar os aprendizados. Tudo se transforma naturalmente e você perceberá a mudança no ambiente e nas pessoas imediatamente! Não se pode ter um ganho maior do que contribuir com alguém! Não é necessário esperar nada em troca, pois o benefício maior está ligado à condição de poder servir e colaborar com o próximo. Ter a consciência de fazer já representa a colheita, e é sinal de amadurecimento!

O maior valor: o dia de hoje

Vamos parar e lembrar que a vida não é perene. Ela é finita e nada previsível. A qualquer momento, pode mudar radicalmente e virar o jogo. Com a finalidade de aproveitar melhor o seu momento presente, que é o maior valor do ser humano, os primeiros instantes do seu dia são os mais importantes. Direcionar-se internamente é essencial nessa hora, como se você ligasse seu automóvel mental, assumindo o volante e direcionando suas atividades para os seus endereços. Isso faz com que seu cérebro se conecte com suas prioridades. O planejamento é o caminho, pois se você acorda sem ele e atropela seus primeiros passos, possivelmente o resto do dia será igual. Pense em quantas vezes você acordou já apressado, sem se perceber, passou pelo banheiro de forma tumultuada, sentou-se à mesa do café sem ao menos saber o que gostaria de comer naquele momento. Você possivelmente nem identificou se está comendo por ter fome, ou pelo movimento automático de todo dia, muito menos se escolheu algo saudável ou não. Esse comportamento demonstra total falta de planejamento – e seu cérebro entende que o dia deverá ser uma continuação desse rito confuso.

Um bom exercício ao acordar é praticar a meditação, esvaziando a mente e conectando-se com as direções. No decorrer do dia, muitas situações podem estar na direção oposta à aura que você estabeleceu com esse exercício, entretanto, você estará mais predisposto a se manter ou retomar com mais facilidade a frequência criada pela manhã.

Programar suas atividades, por mais simples que sejam, lhe dá autonomia para gerenciar sua rotina e seu ambiente psíquico. Acordar em um horário que lhe permita ter tempo para organização pessoal, alimentação e deslocamento antecipado é a melhor maneira de começar seu dia a dia com uma aura positiva. Exercitar a habilidade de decidir conscientemente sobre nossas ações nos leva a condutas mais saudáveis. Se você deseja ser mais seguro, mentalize segurança. Se deseja ser mais calmo, mentalize calma. Gerencie-se.

A habilidade de gestão é a soma de todos os pilares anteriores. E, no dia de hoje, há um lema importante: dar certo ou dar certo – é fazer valer. Isso não quer dizer que não haverá falhas. Mas, como já vimos, é o que você faz com elas que importa, pois o "não" de hoje pode significar o "sim" do tempo.

As habilidades que você treinou nos pilares fazem com que você tenha percepção, aceitação, defina e planeje endereços, persevere e se conecte, independentemente de onde esteja. Essas ferramentas são primordiais para que você consiga reerguer-se cada vez mais rápido após as quedas e não fique refém da própria vida. O dia e a hora para se levantar estão bem à frente; lembre-se, dê um primeiro passo, creia e vá.

Gestão interpessoal

Uma das mais relevantes ferramentas das relações é a tomada de consciência da importância dos próprios movimentos – ou seja: o que eu entrego; o que eu faço; se meu comportamento está ou não condicionado ao retorno, ao que o outro faz. A expectativa da volta frustra. Traz saúde mental focar nos seus movimentos em direção às pessoas e dissociar-se completamente do que poderá vir, não comprando o que não é seu.

Muitas vezes criei conflitos com pessoas por conta da frustração e da angústia geradas com o movimento de volta. No trabalho e até mesmo em relações pessoais eu comprava uma fatura que não era minha. Feridas, rejeições, preocupações e visões que não me pertenciam eram absorvidas. Porém, conflitavam com o que de fato me cabia. Era como uma mistura química que fermentava causando incômodo e atrapalhando a expressão do próprio eu. Isso, muitas vezes, fez com que eu vestisse uma carapuça apertada tentando me adequar às expectativas da volta e enclausurando-me nos padrões alheios. O que fez diferença para mim foi a consciência de que focar no movimento de ida traz mais saúde emocional. O fato de não subordinar nossas ações ao que os outros esperam, ou ao que esperamos deles, nos liberta e possibilita uma melhor conexão com as pessoas com quem nos relacionamos.

Você possivelmente já deve ter tido grandes amigos na vida, ou até mesmo pessoas muito ligadas a você no trabalho ou na família, com quem havia profunda afinidade e portanto uma relação bastante saudável. Olhando para trás, você poderá refletir sobre quais dessas pessoas, ao longo da convivência, deixaram de ser uma presença saudável – por exemplo, grandes amigos que viraram desafetos, ótimos profissionais que com o tempo se transformaram em péssimos funcionários. Até mesmo relacionamentos amorosos que no início eram um paraíso e, com o tempo, se transformaram em um mar agitado. Pense sobre quais motivos podem ter desencadeado tais rompimentos. Talvez alguns deles ocasionados por comportamentos inadequados dessas pessoas, outros vindos de você. Mas a questão é saber o que gerou tais comportamentos. Se vieram intencionalmente desses perfis ou acabaram sendo consequência de uma má administração sua – ou de ambas as partes.

Gerir e administrar relacionamentos é tão ou mais importante do que simplesmente tê-los. Na maioria das vezes, pecamos pelo modo como nos comportamos e os administramos, e não pelo fato de termos relação com este ou aquele perfil de pessoas. Lembro-me de inúmeras pessoas com quem convivi, especialmente no ambiente profissional, que com o tempo deixaram de ter o mesmo sabor. Hoje vejo claramente minha responsabilidade diante desses ocorridos – foram relações que eu não tive habilidade para administrar. Fui levando meio no automático, desviando minha atenção, alimentando pensamentos de achismo delas ou meu, permitindo uma liberdade excessiva, sem a mínima percepção. Quando me dava conta, já era tarde, o vínculo estava completamente inflamado. A maioria de nós já viveu esse quadro. Por exemplo, quando um funcionário de sua empresa toma decisões importantes que precisariam do seu aval, possivelmente não é o funcionário que está sendo invasivo – reflita se não é uma má administração da sua conduta. Não foi ele que ocupou esse espaço, é você que está cedendo e não percebe. Isso acontece até mesmo nas relações mais íntimas, muitas vezes familiares. A gestão interpessoal cabe nesse cenário. Mais uma vez, é preciso avaliar se a situação está sendo criada pelos outros ou se pode estar partindo de você mesmo.

Viver é estar constantemente envolvido em relações, e o recurso da conexão plena é perfeito nesses contextos. Sua preocupação em se comportar da melhor maneira refletirá em outras pessoas.

Disso decorre uma correlação em que, para Nietzsche, todas as ações são autodirigidas e todo serviço, na verdade, é autosserviço.

> O que disse o pensador? Nietzsche dizia que "Sempre somos recompensados pela nossa boa vontade, nossa paciência, equidade, ternura para o que é estranho, na medida em que a estranheza tira lentamente o véu e se apresenta como uma nova e indizível beleza: é a sua gratidão por nossa hospitalidade".

Um comportamento que estabelece maior conexão nas relações é a prática da gentileza. Isso acontece mais facilmente quando você está alinhado com suas intenções, como falaremos mais à frente. A atitude cordial pode surgir nos mais simples gestos, como ceder seu lugar para que outro se sente, oferecer um sorriso acompanhando um "bom dia", dedicar sua atenção a quem se dispõe a lhe transmitir algo ou, até mesmo, àqueles que somente precisam desabafar. Treinar ser gentil é um caminho rápido e certeiro para estabelecer conexão e gerir relações interpessoais.

Nos diálogos, a gentileza também caberá muito bem quando você conscientemente entender que ouvir atentamente em primeiro lugar é mais gentil e gera mais empatia do que sempre se precipitar colocando suas ideias. O ser humano tende a olhar sempre para o próprio umbigo, falar sobre e exaltar seu eu. Há pessoas com quem você conversa que não conseguem ouvi-lo sem interromper e contar as próprias histórias. Uma boa administração das relações se estabelece quando você prioriza o outro. É estar ali pelo outro, com o senso de altruísmo. Quando você for ponte para que as pessoas à sua volta alcancem os objetivos delas, com certeza seus objetivos também estarão a caminho de serem alcançados. Além disso, sua autoestima aumenta com o uso da cortesia. A força do magnetismo do dar e receber remove montanhas e barreiras nas relações. Até mesmo para falar ou se apresentar em público, seja qual for sua função, ao alimentar seu senso altruísta, você estará potencializando seu poder de conexão. Conecte-se com as pessoas valorizando-as e, sempre que for oportuno, mostre que realmente você está ali por elas e não somente por você.

SÉTIMO PILAR – MARCA

Você pode representar uma marca institucional qualquer, mas é bom que jamais abandone sua marca pessoal. Ela diz respeito à sua liberdade e ao grande legado de valores e princípios construídos e adquiridos em sua vida. Trata-se de sua digital comportamental. A partir de então, você adquire consciência de que é uma marca importante na sociedade e está no controle, sendo agente transformador na humanidade.

A ideia de marca não está conectada apenas com o conceito de grandes nomes conhecidos como Apple, McDonald's, Coca-Cola ou outras mais. A marca, no contexto da Habilidade Revolucionária, está relacionada à tomada de consciência de que podemos sair do universo institucional e adentrar no pessoal. Você pode fazer parte de uma marca institucional, mas, ao se afastar da sua pessoal, pode comprometer inclusive aquela institucional a que pertence. Muitas pessoas, quando fazem parte de uma marca institucional bem concretizada, tendem a estacionar, acomodando-se, achando que tudo acaba aí. Essa é uma mentalidade ilusória, que com o tempo pode conduzir ao penhasco.

A marca só é grande quando está conscientemente dentro de um conjunto de outras, trabalhando por um mesmo propósito. Podemos pensar em um grande quebra-cabeça que, para estar completo, precisa que cada peça esteja no lugar, agindo conscientemente para que o desenho esteja inteiro. Sua marca pessoal é seu bastão em qualquer situação e você nunca deve largá-lo.

Consciência sistêmica

O tempo todo você influencia e é influenciado por quem está ao seu redor. Impreterivelmente você crava sua marca por onde transita – ou até mesmo parado, basta existir! A pergunta que você pode se fazer agora é sobre a maneira como tem feito isso. Ao olhar para trás, como você enxerga a forma pela qual tem tocado a vida das pessoas? O que os outros lembram sobre você? No que você ajudou alguém a ser melhor? O que você entregou ao mundo durante seu caminho? Aproveite esse momento e pratique autogestão. Anote essas informações. É por meio de sua marca que você vai montar os demais quebra-cabeças relacionados à vida.

Apenas por meio da sua liderança com a própria vida, adquirida durante cada pilar e fortificada com a autogestão, você pode pensar em como influenciar outros indivíduos de modo mais agradável, sensato e assertivo. Possivelmente, você imagina que ser uma marca é ser citado, ovacionado e admirado. Não estamos aqui vinculando a marca pessoal a questões ligadas a vaidade, egocentrismo, individualismo ou algo que possa suprir carências, medos, frustrações, complexos, traumas e inseguranças. Esse pilar não está relacionado com sua representação social ou com o que as pessoas esperam de você. Pode ser exatamente o contrário, porque o externo não define sua marca. Me vêm à cabeça alguns momentos de minha vida em que eu buscava constantemente o reconhecimento externo. Lutava para agradar as pessoas e conseguir elogios, pois achava que isso me traria autoestima. Para isso, naqueles momentos, não raras vezes eu saía de minha naturalidade e me frustrava. Dificilmente atitudes forçadas preenchem, seja a si mesmo ou aos outros. Como já mencionei antes, sua expectativa em agradar os que estão à sua volta bloqueia a espontaneidade. O que não é natural perde o valor. Vincular sua marca à opinião alheia é constantemente ter frustração, pois dessa forma ela jamais terá convergência com o ato intrínseco e consciente de impactar e transformar vidas.

Ser uma marca é compartilhar suas reinvenções, mostrando ao maior número possível de pessoas que se elas caminharem também poderão transformar-se para melhor. Estamos falando sobre consciência sistêmica, e isso pode definir bem o conceito de marca neste pilar. O tempo todo somos parte de um sistema: no ambiente familiar, assim como no ambiente de trabalho ou de estudo, e ocupamos uma determinada posição dentro dele, sendo capazes de influenciar os outros de maneira passiva ou ativa. Uma revolução social começa a partir da revolução interna de cada indivíduo, que se coloca como agente transformador. Por isso você é o responsável por toda mudança que deseja relacionada a um todo. Ultrapassar seus limites pode prejudicar terceiros. Ignorar responsabilidades pode prejudicar o sistema, e vale lembrar que estamos todos ligados por algo maior, independentemente de se querer ou de se entender como tal.

A tomada de consciência sistêmica é algo que se treina em países de primeiro mundo com jovens estudantes, para que cresçam sabendo que são partes importantes e determinantes em uma sociedade. Eles tomam consciência da própria marca e do fato de poderem, sim, fazer diferença no sistema, de forma positiva ou negativa. Essa ferramenta potencializa o senso de altruísmo, de escrúpulo, de solidariedade, de compaixão e de respeito. Pensar de forma humanitária preenche essa ótica. A consciência sistêmica, quando bem fortalecida, faz com que você amplie seu senso de altruísmo. E o altruísmo tem força de cura para quem o pratica.

Você não tem de projetar uma imagem de perfeição; entretanto, é imprescindível buscar aperfeiçoar-se no melhor que você pode ser, e esse deve ser um empenho permanente. A Habilidade Revolucionária, quando se incorpora à sua digital, lapida seu comportamento com as outras pessoas com quem você se relaciona, com o mundo e com você mesmo. Os recursos da H.R. já estão disponíveis na sua mente, mas eles só possuem sentido na prática. No discurso, será como bolha de sabão. É por meio da prática diária que você potencializa atitudes mais coerentes. Como vimos em "A ação define o perfil", no segundo pilar, seus comportamentos e ações definem sua marca.

Ao chegar ao sétimo pilar, é interessante entendermos o significado do número sete: ele simboliza a totalidade do universo em transformação. O que o torna uma marca é a consciência de que você não pode evitar essas transformações, porém, possui ferramentas para lidar com o novo e com as metamorfoses constantes. Como mencionado anteriormente, muitos de nós já somos reconhecidos por meio de uma marca institucional e, muitas vezes, nos escondemos atrás dela. Mas, nesses casos, a pessoa em questão pode e deve sair desse esconderijo, dessa sombra – e mudar, se individualizar, se renovar e se revolucionar – fazendo com que sua marca pessoal se fortaleça. Você é o arquiteto do seu ser, e consequentemente, da sua marca!

A arte da influência

Nos tempos de hoje, o ser humano tem mergulhado em um movimento de busca pela atenção social, de forma a suprir carências, mas ser uma marca não é um processo de fora para dentro. Essa busca deve ser eliminada com o amadurecimento comportamental. Não são as opiniões alheias que validarão ou não sua evolução. No entanto, saber ouvir de maneira inteligente, filtrando aquilo que realmente é relevante, é uma das características determinantes para se tornar um líder. Não gaste saliva com ouvidos que não estão ali para você – ofereça os seus. Muitas pessoas não ouvem sobre o que não existe dentro delas. Assim como escutar os outros, ouvir a si mesmo e refletir antes da fala são fundamentais. Saiba que seu tempo é um grande tesouro; portanto, valorize-o. Questione-se sobre o valor daquilo que você diz. É produtivo? Acrescentará algo para alguém? Para onde levará as pessoas o que você disser? Sua influência pesa quanto para as pessoas do seu convívio? Quantas vezes, à procura de suprir carência de atenção, em busca de aprovação para dirimir complexos, eu desperdiçava meu tempo falando sobre meus projetos, planejamentos, triunfos e mudanças? A percepção nesse momento é fundamental para saber direcionar suas falas aos ouvidos certos. Essa leitura otimiza seu tempo.

Ouvir mais também traz a oportunidade do aprendizado e a absorção de conteúdos que constroem sua bagagem cultural e estimulam a criatividade. Uma bagagem mais ampla facilita que você tenha repertório para fugir do clichê e das marcas pré-fabricadas, que são atalhos falhos. Sua marca pode ser autêntica, e seu comprometimento com ela, o motor de suas condutas. Quantas vezes você se afastou de seus valores para seguir o exemplo de alguém que conseguiu êxito ou para ser aquilo que esperavam de você? Sempre que sai de sua verdade para tentar agradar a todos, você não só sai de você, como também sai do jogo. Nesses casos, você se torna influenciável e abre mão de si mesmo. Por outro lado, quando se dá o direito de arriscar e de escorregar, mas sabe se levantar, o ganho é inestimável. Naturalmente, passa a exercer uma influência, dar um exemplo.

Não é recomendável que seu olhar perante as pessoas seja de superioridade, porque você jamais deixará de existir como um ser humano em construção. Novamente voltamos à questão da consciência sistêmica – há uma responsabilidade coletiva perene. O princípio deste pilar não é que você se veja ou se projete como um guru para as demais pessoas. Ser uma marca significa influenciar positivamente, e não exigir que os outros sejam ou pensem como você. O senso de alteridade sempre cabe nas relações. Aqui falamos sobre inspirar e não querer simplesmente ser seguido. Quantas vezes eu inflamei relações por insistir veementemente para que as pessoas à minha volta pensassem como eu? Muitas vezes, convencer pessoas é jogar tempo fora. O melhor é colocar seu ponto de vista independentemente das reações e abrir mão de ter sempre razão – nesse contexto, você estará influenciando positivamente os demais. Ter um bom índice de H.R. é ter atitude autêntica e estimular que as pessoas façam da mesma forma. Ao longo deste livro, procuramos destacar as portas para ferramentas que você já tem – e só você consegue acessá-las. Muitas vezes, a porta que você entende ser boa para sua vida pode não ser para o outro.

O treinamento constante de sua conexão, com você e com as outras pessoas, potencializa sua marca, independentemente da frequência com que você trafega nos ambientes. Quando você estabelece sua digital, entende que quantidade não é, necessariamente, qualidade. A marca que você deixa nos outros não estará ligada à quantidade de convivência. Priorizar a qualidade é estar em plena conexão, o que nos mostra que todos os pilares estão, de fato, ligados, formando uma base que sustenta seu desenvolvimento pessoal. E desenvolver-se é enfrentar obstáculos, como já falamos no quarto pilar. Observe como seu termômetro interno se comporta diante dos desafios, fazendo uma reflexão sobre como você utiliza os demais pilares nesses momentos. Perceba em que nível esse termômetro se encontrava no começo de sua caminhada com a Habilidade Revolucionária – e em que nível ele está hoje.

A sua evolução permite não ter medo de tentar ultrapassar qualquer obstáculo. O norte-americano Thomas Edison (1847-1931), inventor da lâmpada elétrica, quando criticado por suas tentativas que não deram certo, respondia que, ao fazer aquela experiência, ou ele havia descoberto a resposta para uma pergunta que ainda não tinha sido feita ou estava mais próximo de descobrir o que realmente desejava, pois poderia descartar um caminho que sabia não servir. Podemos usar o exemplo de Edison como alguém que não se desviou de sua direção – e que se agigantou diante dos desafios.

Quando você efetiva fortes mudanças e reinvenções em sua vida, saindo da poltrona do conforto e construindo sua marca, será normal que muitas críticas lhe sejam dirigidas por aqueles que ocupam poltronas semelhantes. São as famosas panelas do conformismo. O natural é que pessoas queiram puxá-lo de volta para a poltrona. Ninguém quer se queimar na fogueira sozinho; ter uma companhia ameniza o sofrimento. Por isso pessoas se incomodam tanto com os seus voos direcionados ao crescimento; elas querem que você fique lá, queimando junto a elas. Você provavelmente nunca irá agradar a todos. É muito importante não deixar que sua mente se algeme na referência externa. Volte-se para potencializar sua percepção e procure entender qual sua responsabilidade sobre os sistemas em que você trafega.

O filósofo alemão Martin Heidegger (1889-1976) também desenvolveu um conceito que considera "o homem um ser de errância". Nesse conceito há dois sentidos: somos seres que cometem erros e somos seres errantes, porque andamos muitas vezes sem saber para onde estamos indo de fato.

Portanto, errar faz parte da caminhada – afinal, quem está parado não erra, mas também não evolui. Utilizar-se da Habilidade Revolucionária é direcionar seus passos, de forma a ser nômade com menor frequência.

O que disse o pensador? Heidegger dizia que: "Alguém que é, enquanto existindo, pode perder-se de si mesmo e encontrar-se".

Obstáculos desconstroem a comodidade. E quanto maiores são as dificuldades, mais forte você sairá delas.

Procure enxergar os propósitos dessas contrariedades que o Universo impõe como sendo pontes para seu crescimento, sua superação e o compartilhamento de seus aprendizados, fazendo com que você se torne um elo maior nessa grande cadeia da vida. Assim como o que dá sentido à música é cantá-la para os outros, ser uma marca é ter sentido para as pessoas, dividindo com elas as notas que o conduzem e motivando-as para que se tornem, também, compositoras das próprias músicas. Um ótimo exemplo dessa relação, digo aqui novamente, é demonstrado pelos professores, profissão pela qual nutro profunda admiração. Eles têm grande poder de influência, são compositores do saber, capazes de transmitir o conhecimento de forma generosa, contribuindo para que os alunos se elevem e, muitas vezes, para que se afastem das diversas obscuridades em que poderiam entrar. Imagine-se, nos dias atuais, sem saber ler. Que impacto teria isso na sua vida? A maioria das pessoas saiu do analfabetismo graças a um professor. Quando aprendemos a ler, passamos a decodificar o mundo de outro modo. Ciclicamente os professores impactam vidas, sendo referências e deixando marcas.

Modéstia real

Ser uma marca é se enxergar e agir na mesma linha em relação aos demais. A marca não se coloca abaixo dos outros, porém também não se posiciona como superior a ninguém. A consciência da importância da modéstia verdadeira na medida certa leva à aceitação de que nem sempre suas ideias prevalecem. De modo oposto, temos a falsa modéstia, em que o discurso não condiz com as atitudes, geralmente arrogantes e prepotentes. O falso modesto é humilde apenas circunstancialmente, quando lhe convém. Podemos notar exemplos disso em profissionais que diante de seus colegas agem como donos da razão, colocando-se no topo e, frente aos chefes, agem de maneira humilde, pondo-se para baixo. Procure fortalecer sua real modéstia em seu comportamento, pois ela se tornará um escudo que o blinda da escravidão social e o impulsiona a se manter sempre buscando o aprendizado. Mas atenção, não confunda a modéstia verdadeira com a subserviência, com o se deixar manipular. A modéstia deve ser usada na medida certa, nunca o pondo para baixo.

O acesso ao conhecimento é um ambiente extremamente receptivo para esse contexto. Procure absorver o máximo do conhecimento, mas não se torne escravo dele, colocando-se como dono da razão. Houve um tempo, como mencionado anteriormente neste livro, em que me dediquei muito à leitura como uma das minhas principais atividades diárias. Li inúmeros livros de autores de diversas áreas e no prazo de um ano eu realmente havia aumentado meu nível de informações e recursos nas minhas falas, mas, ao mesmo tempo, fui me tornando escravo do saber e do "ter razão".

Em pouco tempo não conseguia mais ouvir: havia uma ansiedade para sempre colocar meu ponto de vista e falar o que pensava. Colocava o "eu" sempre à frente dos que me rodeavam. Nessa época, ouvi uma frase de um amigo que mudou minha vida: "Quando você for falar para engrandecer o outro, siga adiante. Quando for usar o verbo para buscar reconhecimento e atenção, é melhor que se cale e se ponha a escutar". O conhecimento e a marca que você está deixando em outras pessoas podem libertá-lo, entretanto, é preciso que você tenha consciência para que não se torne escravo disso.

Ao mesmo tempo em que as críticas podem vir daqueles que não querem ver seu crescimento, elas também podem significar que você está percebendo seus comportamentos de forma distorcida. A arrogância pode surgir da ansiedade de mostrar que você possui a resposta. Um indício disso é quando você deixa de ouvir o outro para já pensar em como responder, sem que ele tenha concluído os argumentos. Torne-se um agregador para si mesmo ao ouvir, e para as pessoas ao falar. A melhor forma de perder seu brilho é pensar que se tornou brilhante.

Propague gestos altruístas, pois sua autoestima se eleva com a consciência bem nutrida e com a exteriorização do seu altruísmo em ações. Doe seu sorriso mais vezes, sem exigir holofotes ou aplausos. Ofereça-o aos que o rodeiam apenas com sua intenção de entrega, sem esperar nada em troca. Cultue a gentileza, procurando ser o primeiro a servir, a ser útil. Nas pequenas ações, as mais simples do cotidiano, você poderá perceber sua influência por onde passa. Mas tenha sempre cuidado com seu ego. Ao se tornar um influenciador, você automaticamente arrancará cada vez mais elogios que massageiam constantemente seu ego e exaltam sua posição nos sistemas em que você trafega. Essa é uma avenida perigosa, pois o cérebro vicia facilmente com a exaltação. Não dependa desses elogios como fonte de autoestima, nem se imagine maior diante deles.

Divido aqui uma história de simulação interessante, que ouvi de um amigo, com você, leitor. Imagine-se tendo conquistado um prêmio literário e recebido três cartas de reconhecimento. Uma delas vem de sua mãe, parabenizando-o e enaltecendo sua conquista. A segunda carta é daquela pessoa muito amiga, que dividiu muitas coisas com você ao longo da vida e que é sua maior inspiração – e ela também o elogia de forma a engrandecer seu feito. A terceira carta é de alguém que você não conhece, mas que lhe faz elogios simples. Qual dessas cartas está verdadeiramente ligada à honra ao mérito? Certamente você já deduziu a resposta, não é? Sua mãe sempre vai elogiá-lo, afinal o trouxe à vida. A pessoa que o inspira e que é muito sua amiga tem motivos de sobra para aplaudi-lo. A carta do desconhecido traz elogios simples – mas perceba que eles são dirigidos ao valor do seu livro, já que ele não o conhece. Repare que a pergunta não foi para que você apontasse a carta de maior valor para você, mas aquela de maior autenticidade, aquela em que realmente a honra ao mérito veio pelo apreço pela sua escrita e não pelo que você representa.

Se pudéssemos colocar você, como premiado, entre os remetentes de cartas elogiosas, a sem valor algum seria a sua, sem sombra de dúvida. Use sua modéstia na medida certa: a pessoa com maior proximidade com você entre os quatro remetentes é você mesmo. A resposta para a honra ao mérito da sua carta endereçada a você é zero e, mais, seria um estímulo à mediocridade e à falsa modéstia. Você se autoenganou! Quem escreveu sua carta foi a vaidade, a presunção, a falta de senso crítico e a arrogância. Esse é um caso fictício, mas fique atento com a altivez, a falta de modéstia e o ridículo a que você pode se expor quando se autoelogia – e reflita, nem precisa ter ganhado um prêmio para isso. Todos nós gostamos de elogios. Mas, nessa hora, temos de nos conectar com a modéstia verdadeira, que nos dá a dimensão de quem realmente somos e quem achamos que somos. Esse tipo de engano é sempre forjado por nós mesmos e, além de induzir à cegueira, leva ao tombo.

Reveja para quem você tem escrito suas cartas. A busca incansável pelo prestígio pode ser substituída pelo ato de prestigiar. O prestígio forçado vira presunção.

O que nos livra da incumbência de termos sempre razão é assumirmos a postura de aprendiz. Facilmente a fama, o sucesso, o status e a liderança fazem com que você se coloque como o fruto mais alto de uma árvore, o qual não há como alcançar. Esses frutos geralmente apodrecem e caem, enquanto os frutos mais acessíveis servem às pessoas, exercendo sua utilidade. Faça um exercício e responda a estas perguntas: pelo que você quer ser lembrado? Se olhar para trás, qual marca tem deixado? Tem administrado bem sua marca ou se tornou escravo dela? E se olhar lá na frente, qual marca você poderá construir a partir de hoje? Esse exercício, feito com frequência, amplifica sua autopercepção e lhe traz frequentemente a visão 360 graus da coruja. Entenda que você pode, sim, fazer a diferença por onde passar, mas não pense primeiramente em seu benefício. O benefício oferecido aos outros é o caminho para o seu próprio.

Alinhamento de intenções

Quando você alinha intenções, automaticamente desprende-se da necessidade de aprovações e opiniões alheias. Novamente, isso não significa não ouvir quem está à sua volta e lhe faz críticas construtivas. O objetivo aqui é ter a consciência de que, se sua intenção estiver bem nutrida, opiniões supérfluas não irão derrubá-lo. Seu foco é impactar, influenciar – e essa consciência, acredite, é poderosa! Sua marca é o resultado do que você ajuda a construir no outro, de como o influencia. Alimentar o pensamento de que você está presente para acrescentar e impactar positivamente uma pessoa à sua frente pode não ser visível para ela, mas essa forma de magnetismo tem força e poder intensos.

Alinhar sua intenção, por exemplo, em sua vida profissional, e ser um agente positivo dentro da sua empresa, o enobrece, mesmo que ninguém perceba. São créditos invisíveis que, em determinados momentos, serão reconhecidos – tenha plena certeza disso.

O que disse o pensador? O diplomata e inventor americano Benjamin Franklin (1706-1790) afirmou que "O bem feito é melhor que o bem dito".

Há profissionais variados no mercado de trabalho. Alguns com atitude e discurso voltados para mostrar resultados. Outros, com discursos voltados para promessas e pouca atitude. Observe bem à sua volta aqueles que sempre fazem promessas do tipo: "Estou fazendo o melhor" ou "Vou fazer mais". Esses geralmente não entregam tudo o que falam. Os que realmente trazem resultados normalmente não anunciam o que irão fazer – simplesmente fazem.

Alinhe intenções, pondo foco em suas ações, no que de melhor pode sair de você, desligando-se do que possa vir. Consequências, afinal, nascem de ações. Em situações diversas, sejam elas uma simples reunião para vendas ou negociações, uma apresentação em público ou uma conversa com alguém próximo, a consciência de estar alinhado com suas intenções pode fazer toda diferença. Essa mentalidade pode até mesmo desencadear um grande resultado. Alimentar sua aura com boas intenções potencializa seu magnetismo pessoal, exercendo uma força impactante nas pessoas à sua volta. É como se você dissesse que não está ali para arrancar nada delas e, sim, para oferecer. Que está ali para elas e por elas, alimentando isso mentalmente. Não é preciso dizer, basta mentalizar e agir. Naturalmente, as coisas acontecem e a mensagem é transmitida. Utilizo essa ferramenta em minhas palestras, em shows e em muitas vendas na esfera da publicidade. O resultado é quase sempre brilhante. Faço sempre uma mentalização, alinhando intenções e criando um ambiente interno que me impulsiona para a consciência de que estou nesses ambientes para fazer a diferença no sistema e impactar vidas positivamente. A retroalimentação desses pensamentos influencia até mesmo na segurança ao se comunicar, e é claro que muda e transforma sua frequência para melhor. Esse recurso poderá ser utilizado inclusive com pessoas com as quais normalmente você tem conflito, pois aos poucos elas perceberão que você abandonou a posição de impasse, se posicionando de forma saudável para a relação, mesmo sem verbalizar.

Comunicação e autonomia

O ser humano tende a criar máscaras para fugir dos julgamentos alheios. As pessoas se vestem como personagens configurados para a conveniência de acordo com o que a sociedade espera e perdem-se diante de suas essências. A criação desses personagens já começa a ser desenvolvida quando gerações anteriores estabelecem sobre a ação de uma criança critérios para que ela seja aceita no âmbito social quando adulta. Reflita se em sua infância você não foi repreendido por agir, falar ou vestir-se de um modo que era entendido como inconveniente para as outras pessoas, mas que estava ligado ao seu comportamento natural, à sua vontade espontânea. São exemplos disso falas como: "Não faça isso pois vão pensar mal de você", "Não diga isso pois vão achar que você não tem educação", "Não se vista assim pois vão julgá-lo de forma negativa". Essas ordens dadas durante o desenvolvimento da criança, ao serem impostas, limitam a reflexão dela quando adulta, levando-a à tendência de automatizar comportamentos vinculados a uma referência externa. Por outro lado, o questionamento bem orientado e com acompanhamento e diálogo faz com que a criança reflita sobre o contexto de suas ações. Estamos falando de autonomia, liberdade, independência, autenticidade. Essas são as maiores riquezas que uma criança pode ter em sua formação psíquica. Somente sendo instigada e provocada ao raciocínio e à reflexão, mesmo diante de dúvidas e conflitos, ela terá acesso a esses valores. Muitas vezes a intenção é de educar de forma eficiente, porém a comunicação é ineficiente, o que pode levar crianças e adolescentes a criar um personagem que representa ações que não são deles, porém visam a agradar, arrancar aplausos ou obter elogios. Esses comportamentos e ações mascaradas engessam a comunicação e levam a criança a atuar sob personagens criados para diferentes situações. A perda de autonomia leva à perda da autenticidade.

Perder a autonomia e a liberdade significa também perder os maiores alicerces da comunicação, tanto no âmbito público quanto nas relações pessoais. Você adere à mentira. Já a naturalidade dispensa expectativas e não pede que você seja mais do que é. Resgatar-se é voltar à raiz, conectando-se com a própria essência, que é a identidade verdadeira, aquela que guia seus passos e sua comunicação.

> O que disse o pensador? Heidegger nos dizia que: "O simples é o resgate do ser humano".

O primeiro movimento para ser malsucedido em vendas, relacionamentos ou qualquer atividade que exija poder de influência é tentar vender algo que não tem relação com você, o que o leva a comportar-se de forma não autêntica e dissimulada! Oferecer sua verdade tem poder de influência.

Você pode, sim, estar em plena revisão de sua essência, estudando, fazendo cursos e aderindo a leituras. Adquirir informação é importante, mas é imprescindível transformá-la em conhecimento aplicável. O caminho para isso é traduzir as informações, por meio de reflexões, para o seu contexto de vida. A partir daí, você poderá ter mais eficiência e os resultados serão melhores. Naturalmente, você terá mais diligência em sua comunicação e mais autonomia. Sua espontaneidade é uma grande força que permite que você se expresse e se comunique com eficácia.

> O que disse o pensador? Para Heidegger: "A verdade é o desvelamento do ente graças ao qual se realiza uma abertura. Em seu âmbito se desenvolve, expondo-se todo o comportamento, toda tomada de posição do homem".

Mensagens autênticas e naturais são absorvidas com mais receptividade pelas pessoas, que tendem a perceber e rejeitar aqueles que se vestem com o personagem da conveniência. A percepção das pessoas sobre as ações sob disfarce capta a descarga de energia negativa do ato de agir falsificando a essência. Essas ações são identificadas sempre, mesmo que demore. Fuja delas, mais uma vez alinhando intenções.

Aprender a comunicar-se de maneira correta e coerente é tão importante quanto o conteúdo a ser transmitido. Quantas pessoas têm excelente conhecimento sobre um tema, mas ao não transmiti-lo de forma convincente são desacreditadas? E, de modo oposto, quantas pessoas convencem, ainda que não tenham os melhores domínio do conteúdo? Desenvolver e potencializar sua comunicação é treinar o poder de convencimento e de influência, sem máscaras ou personagens.

Exercícios como olhar nos olhos, escutar, questionar e criar um ambiente saudável são ferramentas que contribuem para o desenvolvimento de sua comunicação positiva, até mesmo na esfera dos negócios. Saber se posicionar e transmitir seus valores e princípios é essencial. Quem não sabe competir com ética e com respeito atira pedras, e essa mesma pedra quando lançada adquire uma gravidade incomum e, já na saída da mão, atinge o pé. Contudo, se você alinha suas intenções com o justo, com o propósito de impactar positivamente e trazer benefícios, já percorreu metade do caminho para o sucesso de seu projeto.

Outros fatores que influenciam sua comunicação são a segurança e a autoconfiança. O medo de não agradar e de não convencer limita, e acaba por alterar a sua confiança, amplificando suas dúvidas quanto ao seu poder de convencimento. Libertar-se do "ter de agradar", adquirindo a consciência de oferecer o que você realmente pode, nada mais que isso, o desbloqueia. É necessário criar esse ambiente interno, mais uma vez por meio da retroalimentação de pensamento. Outros pontos importantes na comunicação são a tonalidade vocal e a objetividade, fundamentais para o seu poder de convencimento. Seu tom de voz é capaz de falsear a frequência na qual você se encontra. Se você deseja se mostrar motivado e convencido de suas colocações, demonstre intensidade em suas falas e expressões corporais. Ser objetivo em suas colocações também demonstra segurança e faz com que seus ouvintes confiem mais em você. Trabalhar todas essas competências, desenvolvendo-as, faz com que nas negociações seus clientes comprem primeiramente você, depois seu produto. Você pode treinar essas habilidades em suas relações interpessoais, mesmo nas familiares. A forma para adquiri-las é colocar-se de frente para o espelho e treinar, treinar, treinar...

Reinvenção constante

Se você chegou até aqui e passou a acreditar que não precisa mais evoluir e que atingiu o que queria, recomece sua jornada. Não se permita pensar assim se quer continuar evoluindo nos seus comportamentos. Sentar-se no ontem é andar para trás. Conheço inúmeras pessoas que obtiveram êxito na vida e continuam sentadas no pódio ilusório, vendo a vida passar como zumbis. O que realiza é a busca constante, e a felicidade tão desejada estará sempre no novo – e não no ontem. Quando você adquire essa consciência, seu comportamento se traduz em novas conquistas. E, aí, ninguém é capaz de segurá-lo. É como se você enchesse o tanque de gasolina em todo início da sua caminhada diária, acelerando o motor rumo ao desenvolvimento pessoal sem limites. Essa tomada de consciência fundamenta todos os princípios e pilares da Habilidade Revolucionária.

É bom que sua marca seja constantemente lapidada, recriada, redescoberta e realinhada. Fortalecemos uma marca à medida que efetivamos revoluções internas, nos reinventando e nos aceitando constantemente. Como mencionamos no início deste pilar, há pessoas que constroem uma grande marca institucional, deixando para trás sua marca pessoal. Eu passei por um processo intenso de reinvenção no momento em que me vi escondido atrás da marca Victor & Leo. Sem perceber, abri mão de estar com pessoas importantes e até comigo mesmo. Andava com o "Leo do Victor & Leo" estampado na testa. Afinal, o sucesso e a evidência causam prazer. Ser reconhecido e exaltado por onde passa é bom. Mas, nesse contexto, quem fala é a marca institucional. Eu tive a oportunidade de me reconectar comigo mesmo resgatando valores, raízes e princípios essenciais de vida. Passei a cultuar os momentos de estar só e de me autoconectar plenamente. Esse comportamento me trouxe de volta.

Suas maiores realizações estão na jornada e não no fim do caminho. Construir o novo é voltar a ser criança. É querer criar e não se acomodar com brinquedos que brinquem sozinhos. Suas conquistas fazem parte da sua história e elas não são seus maiores tesouros. Se você constrói uma marca a partir de um bem material, basta que esse bem saia da sua mão para que sua marca se desfaça. O sentido da sua vida é proporcional ao sentido que você confere aos outros. A vida é um grande palco e você é o personagem principal. Sua digital tem de ser construída por meio do poder pessoal de ser protagonista no seu próprio roteiro. Isso ninguém poderá tirar de você.

Para aqueles com quem você convive, e a quem ama, mais do que ser uma marca, deixe marcas. Relações constituídas por uma união forte e inquebrável, de vínculo amoroso e inabalável, são construídas por marcas de episódios inesquecíveis, acontecimentos memoráveis, momentos especiais e intensos, desafios enfrentados de mãos dadas, boas gargalhadas, e até mesmo as saudosas bagunças vivenciadas nessa trajetória.

É isso também que fica eternizado e cravado no coração de cada um de nós por aqueles que nos deixaram. Seus corpos não mais serão tocados por nós, porém suas marcas deixadas estarão sempre tocando o nosso coração, permanecendo para sempre vivas, nos inspirando e nos motivando a seguir firmes em nossa jornada! Lembre-se de alguém que já tenha partido, mas que foi essencial em sua vida e que o marcou profundamente. O corpo faleceu, porém essa pessoa ainda está viva em sua caminhada. Essa é a importância de se viver cada instante, percorrer cada caminho traçado junto de quem amamos, de forma especial e única, aproveitando e contemplando cada momento como se fosse o último.

REFERÊNCIAS BIBLIOGRÁFICAS

BERGSON, Henri. **A Evolução criadora.** São Paulo: Martins Fontes, 2015.

CHOPRA, Deepak; FORD, Debbie; WILLIAMSON, Marianne. **O efeito sombra.** São Paulo: Lua de Papel, 2010.

DOSTOIÉVSKI, Fiódor. **Os Irmãos Karamázovi.** São Paulo: Editora 34, 2009.

FOLHA DE S.PAULO. **Grandes nomes do pensamento.** São Paulo: Folha de S. Paulo, 2015. v. 2.

______. **Grandes nomes do pensamento.** São Paulo: Folha de S. Paulo, 2015. v. 27.

HEIDEGGER, Martin. **Conferências e escritos filosóficos.** São Paulo: Nova Cultural, 1996.

______. **Os conceitos fundamentais da metafísica.** Rio de Janeiro: Forense Universitária, 2006.

______. **Ser e tempo.** Petrópolis: Editora Vozes, 2015.

HÖLDERLIN, Friedrich. **Reflexões.** Rio de Janeiro: Relume Dumará, 1994.

JUNG, Carl Gustav. **Memórias, sonhos, reflexões.** São Paulo: Nova Fronteira, 1975.

______. **O desenvolvimento da personalidade.** Petrópolis: Rio de Janeiro, 2006.

______. **Psicologia do inconsciente.** Petrópolis: Vozes, 1987.

MONTAIGNE, Michel de. **Ensaios.** São Paulo: Nova Cultural, 1996. (Coleção Os Pensadores).

NIETZSCHE, Friedrich. **100 aforismos sobre o amor e a morte.** São Paulo: Companhia das Letras, 2012.

______. **Assim falava Zaratustra.** São Paulo: Hemus Editora,1998.

______. **Aurora.** São Paulo: Companhia das Letras, 2008.

______. **Crepúsculo dos ídolos.** São Paulo: Companhia das Letras, 2006.

______. **Ecce homo.** São Paulo: Companhia das Letras, 1995.

______. **Humano, demasiado humano.** Rio de Janeiro: Companhia de Bolso, 2005.

OLSON, G. Robert. **Introdução ao existencialismo**. São Paulo: Brasiliense, 1970.

PESSOA, Fernando. **Livro do desassossego.** São Paulo: Companhia das Letras, 1997.

SARTRE, Jean-Paul. **O existencialismo é um humanismo**. São Paulo: Nova Cultural, 1987.

SCHOPENHAUER, Arthur. **A vontade de amar**. São Paulo: Ediouro, 1966.

[SIGMUND, Freud]. São Paulo: [Mendes & Romero; CT Editora], [1980?]. (Coleção Homens que mudaram a história).

SOUZA, José Cavalcante de. **Os pensadores pré-socráticos**. São Paulo: Abril Cultural, 1978.

WILDE, Oscar. **A alma do homem sob o socialismo.** Porto Alegre: L&PM Editores, 2003.

Acreditamos
nos livros

Este livro foi composto em Adobe Garamond Pro e impresso pela Geográfica para a Editora Planeta do Brasil em outubro de 2019.